THE PHILADELPHIA SCHOOL

Published in the United States of America.

Descubre el español con Santillana
Student Book Level B
ISBN-13: 978-1-61605-591-2
ISBN-10: 1-61605-591-X

Editorial Staff
Editorial Director: Mario Castro
Senior Project Editor: Patricia E. Acosta
Developmental Editor: Angela Padrón
Proofreader: Claudia Baca
Contributing Writer: Marcela Villegas
Design and Production Manager:
    Mónica R. Candelas Torres
Head Designer: Francisco Flores
Design and Layout: Anayeli Caraballo
Image and Photo Research Editor:
    Mónica Delgado de Patrucco
Cover Design and Layout: Studio Montage

Santillana USA Publishing Company, Inc.
2023 NW 84th Avenue, Doral, FL 33122

Printed in China

16 15 14 13   3 4 5 6 7 8 9 10

Acknowledgments
Illustrations: Emiliano López Ordás
Photographs: p.12: © MedioImages / Age
Fotostock; p.14: © Osvaldo Sánchez Gómez; p.28:
© JTB Photo / Age Fotostock; p.29: © Mel Longhurst
/ Age Fotostock; p.36: © Marco Cristofori / Age
Fotostock; p.46: © Rodolfo Ortega; p.54: © Rodolfo
Ortega; p.56: © Rodolfo Ortega; p.62: © Santiago
Carponi; p.70: © Buddy Mays / Corbis; p.80: © Mario
Casaverde / Santillana USA; p.88: © Mario Casaverde
/ Santillana USA; p.91: © Santillana Chile; p.96:
© Mario Casaverde / Santillana USA; p.104: © Mario
Casaverde / Santillana USA; p.114: © Iris Odio
/ Santillana USA; p.116: © Iris Odio / Santillana
USA; p.122: © Carolina Iglesias; p.124: © Iris Odio
/ Santillana USA; p.130: © Iris Odio / Santillana
USA; p.136: © Iris Odio / Santillana USA; p.148:
© Marcelo Torterolo / Santillana USA; p.150:
© Marcelo Torterolo / Santillana USA; p.156:
© Marcelo Torterolo / Santillana USA; p.158:
© Marcelo Torterolo / Santillana USA; p.164:
© Marcelo Torterolo / Santillana USA; p.166:
© Marcelo Torterolo / Santillana USA; p.172:
© Marcelo Torterolo / Santillana USA; p.182:
© Manfred Gottschalk / Age Fotostock; p.190:
© Giulio Andreini / Age Fotostock; p.198:
© Ariane Lohmar / Age Fotostock; p.206: © Philippe
Body / Age Fotostock; p.216: © Javier Larrea /
Age Fotostock; p.230: © Carlo Bevilacqua / Age
Fotostock; p.238: © Luis Matos; p.240: © Carolina
Iglesias; p.261: © Wilmar / Age Fotostock; p.263:
© Beau Lark / Age Fotostock; p.266: © STR New /
Reuters; p.268: © Marco Albonico / Age Fotostock,
© Alvaro Leiva / Age Fotostock; p.272: © Reuters, © Jeff
Greenberg / Age Fotostock; p.274: © Angelo Cavalli /
Age Fotostock.

Descubre el español con Santillana

B

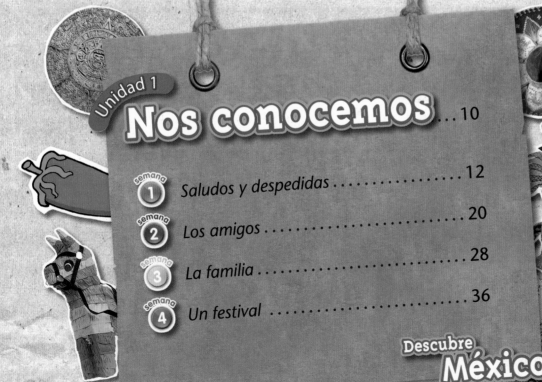

Unidad 1

Nos conocemos ...10

Descubre
México

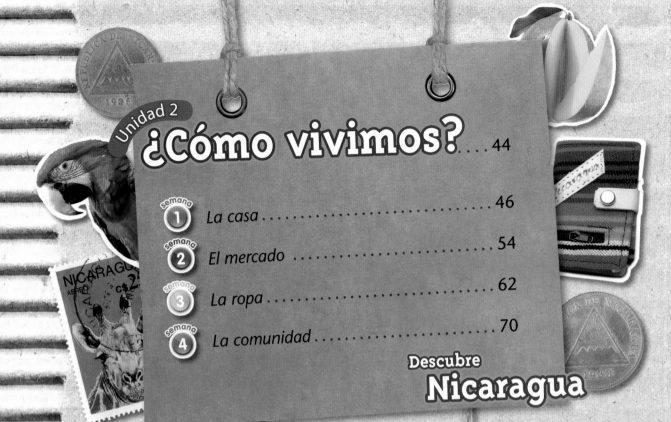

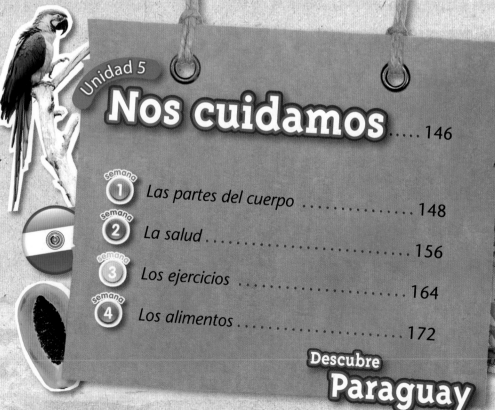

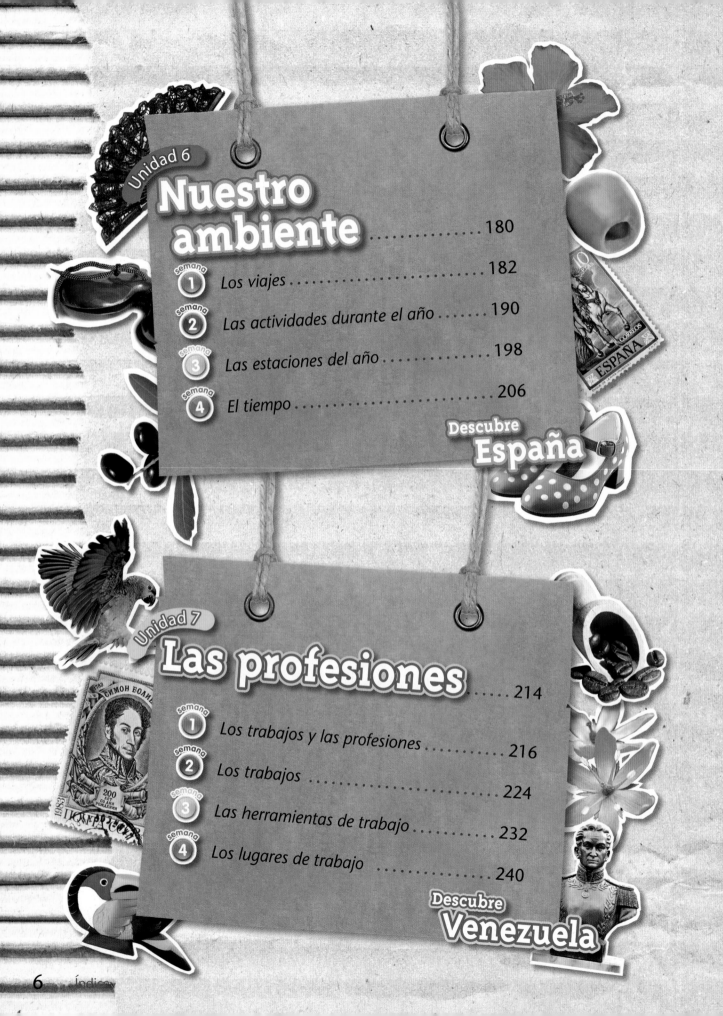

Descubre **Cuba**

Conoce a Lisa y a Tony

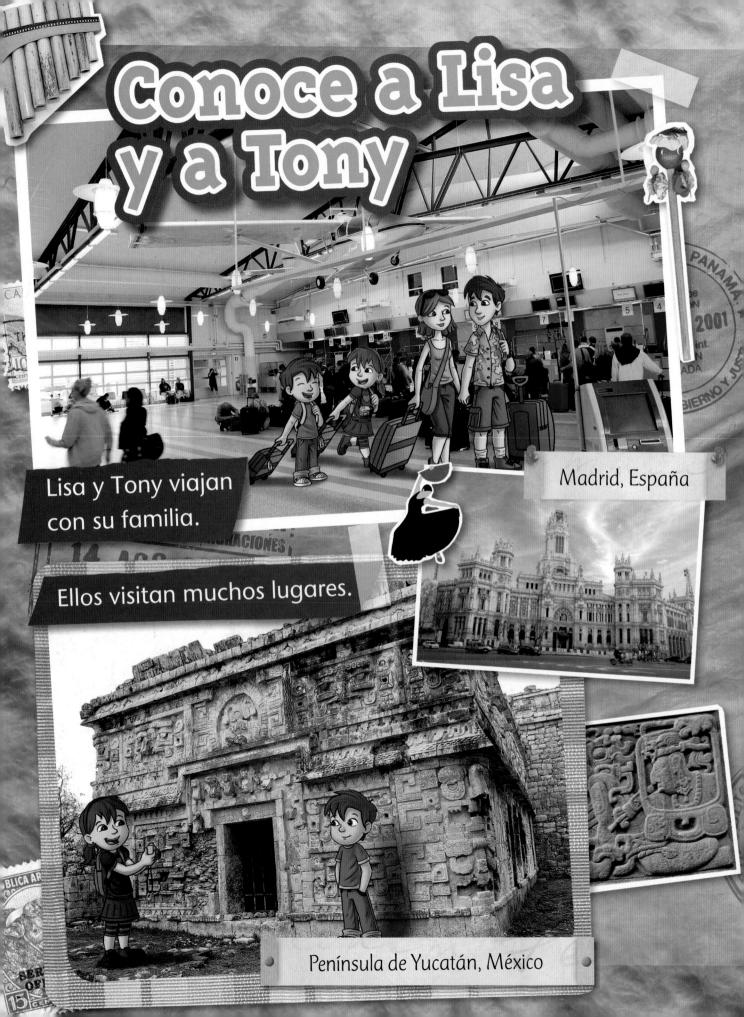

Lisa y Tony viajan con su familia.

Ellos visitan muchos lugares.

Madrid, España

Península de Yucatán, México

España

Cuba

México

Nicaragua

Venezuela

Costa Rica

Paraguay

Chile

CUBA CORREOS

Monteverde, Costa Rica

Lisa y Tony coleccionan postales y fotos.

¡Viaja con Lisa y Tony!

Nos conocemos

Parque en Cozumel

Cenote en Chichén Itzá

- los saludos y despedidas.
- los amigos.
- la familia.
- un festival.

Playa en Acapulco

Plaza en Oaxaca

Descubre
México

Culturas

Saludos y despedidas

¡Hola!

Parque en Cozumel

Hola, amiga.

Hola, amigo.

▶ Ahora tú.

Hola...

El estadio

A. Escucha y repite.

Hola

Mucho gusto

Adiós

amigo   amiga

B. Completa. Lee en voz alta.

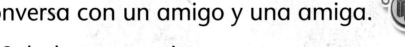

1. _____   2. _____   3. _____

C. Conversa con un amigo y una amiga.

1. Saluda a un amigo.

2. Despídete de una amiga.

¿Qué recuerdas?

A. ¿Sí o no?

1. Mucho gusto.   **2.** Hola.   **3.** Adiós.

B. Ordena.

Adiós.

Adiós, amigo.

Mucho gusto. Yo me llamo Diego.

Hola. Yo me llamo Tony.

Hola y adiós

A. Completa. Lee en voz alta.

_____, amigo.

Hola, amiga.

Hola. Yo me llamo Tina.

_____. Yo me llamo John.

Adiós.

_____, amigo.

B. Conversa.

Hola	amigo	Yo me llamo
Adiós	amiga	Mucho gusto

Buenos días, buenas tardes, buenas noches

A. Escucha y repite.

Buenas tardes, amigo.

Buenas tardes, Juan.

Buenos días, mamá.

Buenos días, Mina.

Buenas noches, papá.

Buenas noches, Henry.

B. Conversa.

Buenos días.

Buenas tardes.

Buenas noches.

Repasa

- los saludos y las despedidas

Aplica

1. Saluda a una amiga.
2. Despídete de un amigo.

¡A escribir!

Tema: Mis amigos

PLANIFICA   ESCRIBE   REVISA   PRESENTA

Los amigos

Hola niña, hola niña.

¿Cómo estás? ¿Cómo estás?

Yo me llamo Lisa. ¿Tú cómo te llamas?

Yo me llamo María.

Comunidades

Cenote en Chichén Itzá

Yo me llamo María.

Yo me llamo Tony.

Yo me llamo Lisa.

▶ Ahora tú.

Yo me llamo...

21

Las pirámides

A. Escucha y repite.

¿Cómo te llamas tú? amigos Yo me llamo...

B. Une. Lee en voz alta.

1.

Yo me llamo Lisa.

2.

Yo me llamo María.

3.

Yo me llamo Jorge.

C. Conversa con un amigo o una amiga.

- ¿Cómo te llamas tú?

  Yo me llamo...

Las vocales

A. Escucha y repite.

a e i o u

a
amigos

e
estrella

i
isla

o
oso

u
uvas

B. Escoge la palabra con...

1. la *a.*

avión   oso

2. la *e.*

uvas   elefante

3. la *i.*

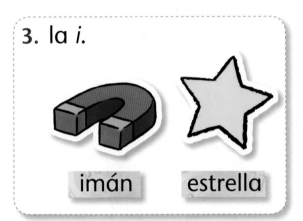

imán   estrella

4. la *o.*

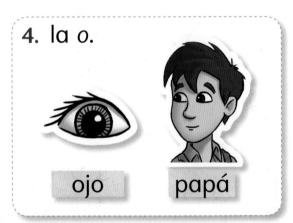

ojo   papá

5. la *u.*

niña   uña

C. Escucha y completa.

1. ___ lefante

2. ___ so

3. ___ miga

4. ___ mán

5. ___ vas

Un mapa de México

A. Observa el mapa.

B. Ordena.

por último

primero

después

Repasa

- los amigos
- las vocales

Aplica

1. Saluda a un amigo o una amiga.
2. Di cómo te llamas.
3. Di las vocales.

Hola. Yo me llamo Kía.
¿Cómo te llamas tú?

Hola, Kía.
Yo me llamo Franklin.

¡A escribir!

Comunicación

Tema: Mis amigos

PLANIFICA

ESCRIBE

REVISA

PRESENTA

La familia

Mi familia

Comunicación

Mamá y papá,
abuelo y abuela,
hermano y hermana,
¡vamos a la playa!

Playa en Acapulco

Carmen es mi hermana.

Ramón es mi hermano.

▶ Ahora tú.

_____ es mi hermana.

_____ es mi hermano.

29

La familia de María

Mi **familia** y yo **visitamos** la playa.

Mi **mamá tiene** la pelota de playa.

Mi **abuela** tiene la toalla.

Mi **hermano** tiene los juguetes.

A. Escucha y repite.

Mi familia...

mamá

papá

hermana

María

hermano

abuela

abuelo

B. Completa.

1. La _____ tiene la toalla.

2. El _____ tiene los juguetes.

3. La _____ tiene la pelota de playa.

C. Conversa.

▶ Imagina que visitas la playa con tu familia.

• ¿Qué tiene tu mamá?

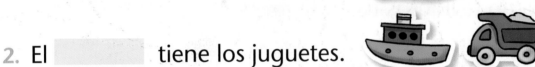

Mi mamá tiene...

Visitamos la playa

A. Escucha y repite.

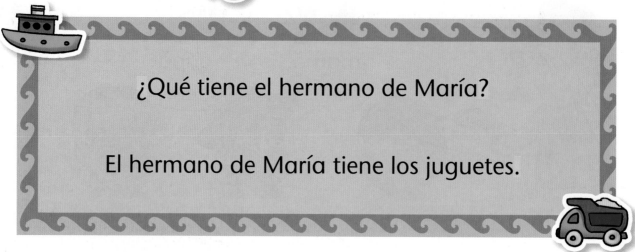

¿Qué tiene el hermano de María?

El hermano de María tiene los juguetes.

B. Escucha y repite.

1. ¿Cómo te llamas tú?
   Yo me llamo Carmen.

2. ¿Que tiene la mamá de María?
   La mamá de María tiene la pelota
   de playa.

3. ¿Qué tiene tu abuela?
   Mi abuela tiene la toalla.

C. Completa. Lee en voz alta.

1. ___ Cómo te llamas tú ___

2. El abuelo de María tiene una toalla ___

3. ___ Qué tiene mi hermana ___

4. La familia de María visita la playa ___

D. Escucha y completa.

Los miembros de la familia

A. Escucha y repite.

Carmen es mi hermana.

Mi hermano es Ramón.

B. Compara y completa.

Víctor   Rosa   Ana   Leo

1. ___eo es mi papá.

2. Mi mamá es ___na.

3. Mi abuelo es ___íctor.

4. ___osa es mi abuela.

C. Completa. Lee en voz alta.

1. Mi mamá es...

2. ...es mi papá.

Repasa

- la familia

Aplica

▶ Dibuja a tu familia.

- Presenta a tu familia.

Beatriz es mi hermana.

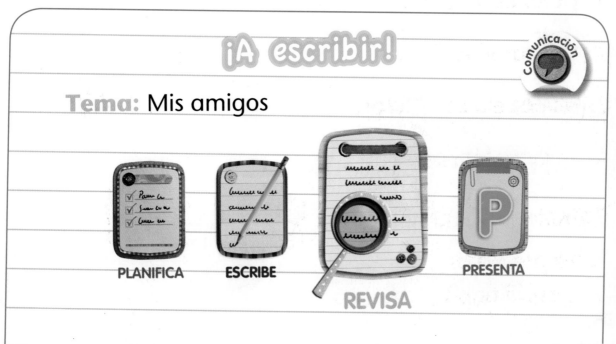

¡A escribir!

Comunicación

Tema: Mis amigos

PLANIFICA   ESCRIBE   REVISA   PRESENTA

Un festival

Lisa es mi amiga.
Tony es mi amigo.
Ellos son mis amigos.
¡Todos somos amigos!

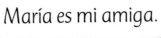
María es mi amiga.

Ramón es mi amigo.

Tony y Lisa son mis amigos.

Plaza en Oaxaca

▶ Presenta a tus amigos.

Un correo electrónico

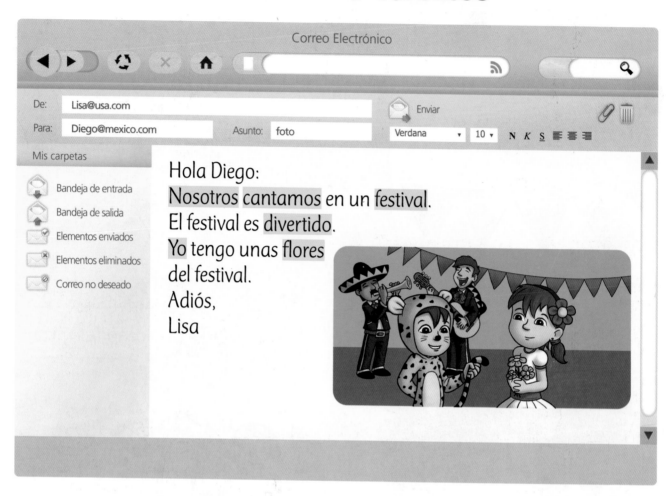

Correo Electrónico

De: Lisa@usa.com

Para: Diego@mexico.com   Asunto: foto   Enviar   Verdana ▼ 10 ▼ N K S

Mis carpetas

Bandeja de entrada
Bandeja de salida
Elementos enviados
Elementos eliminados
Correo no deseado

Hola Diego:
Nosotros cantamos en un festival.
El festival es divertido.
Yo tengo unas flores
del festival.
Adiós,
Lisa

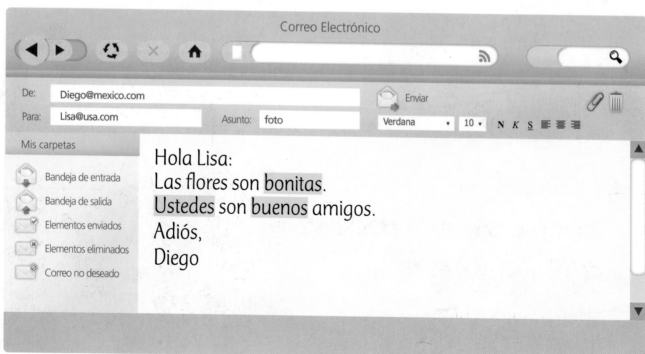

Correo Electrónico

De: Diego@mexico.com

Para: Lisa@usa.com   Asunto: foto   Enviar   Verdana ▼ 10 ▼ N K S

Mis carpetas

Bandeja de entrada
Bandeja de salida
Elementos enviados
Elementos eliminados
Correo no deseado

Hola Lisa:
Las flores son bonitas.
Ustedes son buenos amigos.
Adiós,
Diego

A. Escucha y repite.

nosotros   yo   ustedes

B. Completa. Lee en voz alta.

_____ tengo unas flores del festival.

_____ cantamos en el festival.

_____ son buenos amigos.

C. Conversa.

- Imagina que estás en el festival.

El festival es...

Las flores son...

Somos amigos

A. Escucha y repite.

Yo soy una niña.

Tú eres mi amigo.

Ella es mi amiga.

Ellos son mis amigos.

¡Nosotros somos amigos!

B. Escucha y completa.

1. Él ___ mi amigo.

2. Ustedes ___ mis amigos.

C. Escoge.

1. Yo (soy / eres) una niña.

2. Tú (soy / eres) mi amiga.

3. Makoto (es / son) mi amigo.

4. Nala y Tina (es / son) amigas.

5. Harold y yo (son / somos) amigos.

D. Conversa.

1. ¿Eres tú un niño o una niña?

Yo soy...

2. ¿Son ustedes amigos o amigas?

Nosotros somos...

Un festival en mi comunidad

A. Escucha y repite.

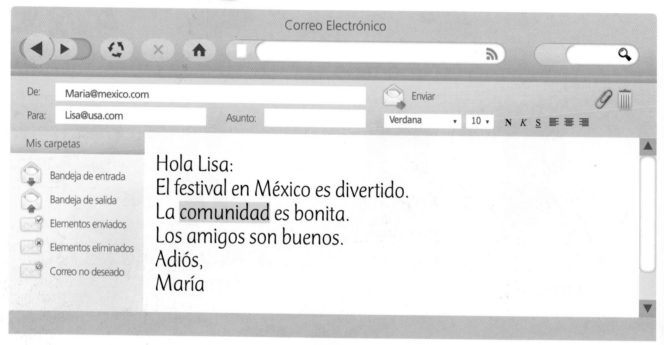

B. Completa. Lee en voz alta.

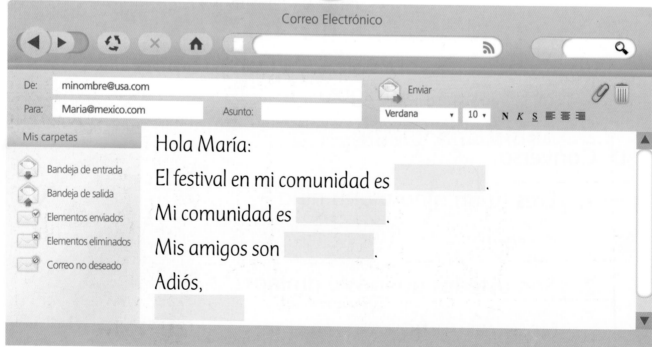

Repasa

- los saludos y las despedidas
- los amigos
- la familia
- un festival

Aplica

1. ¿Quiénes son tus amigos?
2. Saluda a tus amigos.
3. Presenta a tu familia.
4. Describe un festival.

Nancy es mi amiga.

¡A escribir!

Comunicación

Tema: Mis amigos

PLANIFICA   ESCRIBE   REVISA   PRESENTA

Unidad 2
¿Cómo vivimos?

Calle en Managua

Mercado

Voy a aprender sobre...

- la casa.
- el mercado.
- la ropa.
- la comunidad.

Tienda de ropa

€1.00

Plaza en Managua

Descubre
Nicaragua

¿Dónde vives tú?

Calle en Managua

Yo vivo en una casa.

Yo vivo en un apartamento.

▶ Ahora tú.

Yo vivo en…

47

La casa de Héctor

A. Escucha y repite.

casa

apartamento

señor

señora

B. Completa. Lee en voz alta.

1. Héctor vive en una _____ .

2. Tony vive en un _____ .

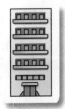

3. Ella es la _____ López.

4. Él es el _____ López.

C. Conversa con un amigo o una amiga.

- ¿Dónde vives tú?

  Yo vivo en...

¿Qué recuerdas?

A. ¿Sí o no?

1. Tony vive en una casa.

2. Tony vive en un apartamento.

3. La señora López es la hermana de Héctor.

4. La señora López es la mamá de Héctor.

B. ¿Sí o no?

1. Héctor vive en una casa.

2. Isabel vive en una telaraña.

3. Lisa y Tony viven en un nido.

4. Lisa y Tony viven en un apartamento.

En la casa

A. Escucha y repite.

El señor López está en la sala.

La señora López está en la cocina.

Isabel está en el baño.

B. Escucha y contesta.

1. ¿Dónde está Isabel?

   Ella está en...

2. ¿Dónde está la señora López?

3. ¿Dónde está el señor López?

   Él está en...

¿Dónde están?

A. Escucha y repite.

Los niños están en el dormitorio.

Los abuelos de Héctor están en el comedor.

B. Escucha y contesta.

1. ¿Dónde están los niños?

2. ¿Dónde están los abuelos?

Ellos están en...

Repasa

- la casa

Aplica

▶ Imagina que estás en tu casa.

1. ¿Dónde vives tú, en una casa o en un apartamento?
2. ¿Dónde están tus padres?
3. ¿Dónde está tu hermano?

Yo vivo en una casa.

¿Dónde vives tú?

¡A escribir!

Comunicación

Tema: Mi comunidad

PLANIFICA ESCRIBE REVISA PRESENTA

El mercado

Mercado

¿Qué te gusta?

Comunicación

Me gustan las verduras.

Me gustan las frutas.

Comunidades

Compramos en el mercado mientras el lobo no está.

— ¿Lobo estás?

— Estoy comiendo verduras.

▶ Ahora tú.

Me gustan...

En el mercado

A. Escucha y repite.

frutas

verduras

arroz

flores

B. Completa. Lee en voz alta.

1. Me gustan las _____.

2. Me gustan las _____.

3. Me gustan las _____.

4. Me gusta el _____.

C. Conversa con un amigo o una amiga.

1. ¿Te gustan las flores?
2. ¿Te gustan las verduras?

Sí, sí me gustan...   No, no me gustan...

Las vocales

A. Escucha y repite.

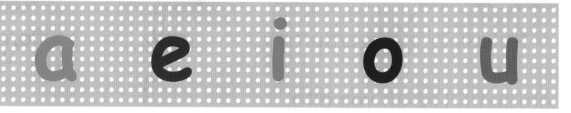

a e i o u

B. Escucha y repite. Identifica las vocales.

1.

frutas

2.

casa

3.

pelota

4.

papá

5.

niña

6.

amigos

C. Lee. Identifica las vocales.

1.

niño

2.

arroz

3.

verduras

4.

mamá

D. Escucha y completa con una vocal.

1.

manz ⬜ na

2.

p ⬜ ña

3.

t ⬜ mate

4.

⬜ vas

5.

l ⬜ chuga

Una receta

A. Escucha y repite.

Refresco de piña

Ingredientes:

1   una piña

2   dos tazas de azúcar

3   tres litros de agua

B. Une.

dos tazas de azúcar	1
tres litros de agua	2
una piña	3

Repasa

- el mercado
- las vocales

Aplica

▶ Imagina que visitas el mercado en Nicaragua.

1. ¿Qué te gusta?
2. ¿Qué no te gusta?

Hola, niño. ¿Qué te gusta?

Buenos días, señora. Me gustan las frutas.

¡A escribir!

Comunicación

Tema: Mi comunidad

PLANIFICA

ESCRIBE

REVISA

PRESENTA

La ropa

¿Qué compras tú?

Comunicación

Yo voy a la tienda de ropa.
Yo compro un vestido.
Yo compro una camiseta.
¡Ir de compras es divertido!

Tienda de ropa

Yo compro la falda.

Yo compro la camiseta.

Yo compro los zapatos.

Ahora tú.

Yo compro...

63

La tienda de ropa

Los niños están en la tienda de ropa.

A. Escucha y repite.

tienda

camiseta

zapatos

falda

B. Completa. Lee en voz alta.

1. Ellos están en la _____ de ropa.

2. Lisa compra la _____ blanca.

3. Tony compra la _____ roja.

4. Héctor compra los _____ negros.

C. Conversa con un amigo o una amiga.

- ¿Qué ropa compras tú?

Yo compro...

¿De qué color es la ropa?

A. Escucha y repite.

La blusa es verde.
¿De qué color es
la falda?

La falda es blanca.

Los zapatos son negros.
¿De qué color es el
pantalón?

El pantalón es azul.

El vestido es amarillo.
¿De qué color es la
camiseta?

La camiseta es roja.

B. Escucha y completa.

verde   negro   rojo

amarillo   azul   blanco

1. La blusa es _____.

2. El pantalón es _____.

3. El vestido es _____.

4. La camiseta es _____.

C. Escucha y escoge.

1.     2.

Mi ropa favorita

A. Escucha y repite.

B. Completa. Lee en voz alta.

1. ___ Te gusta la camiseta amarilla ___

2. ___ Es horrible ___

3. Me gustan los zapatos blancos ___

4. ___ Son mis favoritos ___

Repasa

- la ropa
- los colores

Aplica

1. ¿Qué ropa compras tú en una tienda de ropa?
2. ¿De qué color es la ropa?
3. ¿Cuál es tu ropa favorita?

Yo compro la camisa amarilla.

Los zapatos son verdes.

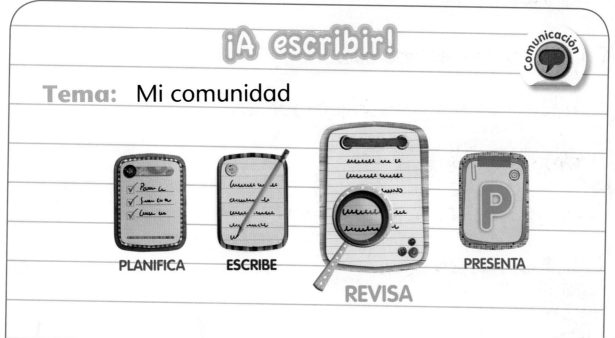

¡A escribir!

Comunicación

Tema: Mi comunidad

PLANIFICA ESCRIBE REVISA PRESENTA

La comunidad

Vamos al supermercado
y a la juguetería.
Vamos a la plaza
y a la panadería.

NICARAGUA
RUBEN DARIO

RESTAURADO EN 1998-2000 POR HENTGEN,
PISTORIUS, VARGAS, S.A. GRACIAS AL
GENEROSO APORTE CULTURAL DE TEXACO

Comunicación

Vamos a la juguetería.

Vamos al supermercado.

▶ Ahora tú.

Vamos…

Plaza en Managua

Un mapa de la comunidad

① Nosotros estamos en la casa.

② Primero vamos a la juguetería.

③ Después vamos al supermercado.

④ Después vamos a la panadería.

⑤ Por último vamos a la plaza.

A. Escucha y repite.

supermercado

panadería

plaza

juguetería

B. Completa. Lee en voz alta.

1. Primero los niños van a la _____ .

2. Después ellos van al _____ y a la _____ .

3. Por último los niños van a la _____ .

C. Conversa.

- Imagina que tú y tus amigos visitan Nicaragua.

Primero vamos...

Después vamos...

¿Dónde están?

A. Escucha y repite.

¿Dónde estás tú, papá?

Yo estoy en el supermercado.

Mi mamá está en el comedor.

¿Dónde están ustedes?

Nosotros estamos en la juguetería.

B. Responde.

1. ¿Dónde está la mamá?

   Ella está en...

2. ¿Dónde están los niños?

   Ellos están en...

C. Escoge. Lee en voz alta.

1. Yo (estoy / estás) en la juguetería.

2. Tú (estás / estamos) en la panadería.

3. Él (están / está) en el supermercado.

4. Ellos (estoy / están) en el parque.

D. Conversa.

- ¿Dónde están ustedes?

  Nosotros estamos en...

En la comunidad

A. Escucha y repite.

La casa es pequeña.

La casa es grande.

Las calles son cortas.

Las calles son largas.

B. Conversa sobre tu comunidad.

1. ¿Cómo es tu casa, grande o pequeña?

   Mi casa es...

2. ¿Cómo son las calles, cortas o largas?

   Las calles son...

Repasa

- la casa
- el mercado
- la ropa y los colores
- la comunidad

Aplica

▶ Imagina que visitas Nicaragua.

1. ¿Dónde estás tú?
2. ¿Qué compras tú?
3. ¿Qué te gusta?
4. ¿Cómo son las casas, grandes o pequeñas?

Estamos en la juguetería.

Yo compro un juguete.

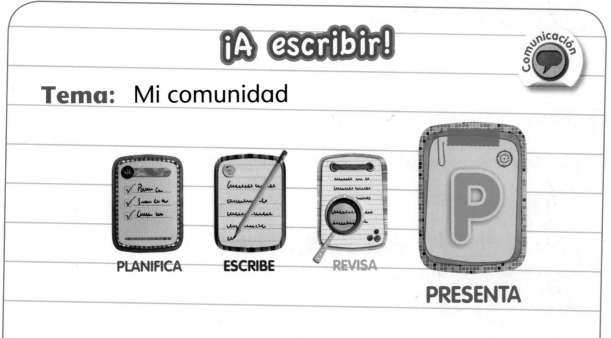

¡A escribir!

Comunicación

Tema: Mi comunidad

PLANIFICA   ESCRIBE   REVISA

PRESENTA

Vamos a aprender

Entrada de la escuela

Patio de la escuela

GORREO AEREO
CHILE
1950

Voy a aprender sobre...

- la escuela.
- los juegos.
- la hora.
- las clases.

CORREOS DE CHILE

40 COBRE Cts

Salón de clase

Descubre Chile

Culturas

Los maestros

Buenos días, maestro.

Hola, maestra.

▶ Saluda a tu maestro o maestra.

Entrada de la escuela

El salón de clase

 Buenos días, Elena.

 Hola, amigos.
Vamos a mi
escuela.

 Buenos días, maestra.
Lisa y Tony son
mis amigos.

 Mucho gusto. Yo soy
la señora González.

 Yo tengo un lápiz.
¿Qué útiles tienes tú?

 Yo tengo tres crayones.

 Yo tengo dos libros.

A. Escucha y repite.

maestra

lápiz

crayones

libros

B. Completa. Lee en voz alta.

1. Lisa tiene dos _____ .

2. Elena tiene un _____ .

3. Tony tiene tres _____ .

4. La señora González es la _____ .

C. Conversa.

Yo tengo...

La maestra tiene...

¿Qué recuerdas?

A. Une. Lee en voz alta.

    1. Es una maestra.

    2. Son tres crayones.

    3. Son dos libros.

    4. Es un lápiz.

B. ¿Sí o no?

    1. Ellos son amigos.

    2. Ellos están en la tienda.

    3. Ella es Elena.

    4. Ella tiene dos crayones.

Los días de la semana

A. Escucha y repite.

Calendario

| domingo | lunes | martes | miércoles |
| jueves | viernes | sábado | |

Hoy es lunes. Yo voy a la escuela el lunes.

B. Conversa con un amigo o una amiga.

Hoy es...

Yo voy a la escuela el...

El fin de semana

A. Escucha y repite.

En el fin de semana, los niños no van a la escuela.

El sábado, los niños van al parque.

El domingo, ellos van a la casa de los abuelos.

B. Conversa.

El sábado vamos a...

El domingo vamos a...

Repasa

- la escuela
- los días de la semana

Aplica

1. Saluda a un maestro o una maestra.
2. ¿Qué día es hoy?
3. ¿Qué días vas a la escuela?
4. ¿Qué útiles tienes tú en la escuela?

Hoy es martes. Yo voy a la escuela el martes.

¡A escribir!

Comunicación

Tema: Mi salón de clase

PLANIFICA   ESCRIBE   REVISA   PRESENTA

Los juegos

Uno, dos y tres,
cuatro, cinco y seis,
siete, ocho, nueve y diez,
¡Nos vamos a esconder!

Patio de la escuela

¿Dónde está Carlos?

Yo estoy escondido.

▶ ¿Dónde estás tú?

Yo estoy...

89

Los juegos en la escuela

El lunes, Tony y Carlos juegan fútbol en el patio.

El martes, Elena salta la cuerda en el patio.

El miércoles, los niños juegan juegos de mesa en el salón de clase.

A. Escucha y repite.

cuerda   patio   juegos de mesa

B. Completa. Lee en voz alta.

1. El lunes, los niños juegan fútbol en el _____.
2. El martes, Elena salta la _____.
3. El miércoles, los niños juegan _____.

C. Identifica los juegos de mesa.

1.    2.   3.    4.

D. Conversa con un amigo o una amiga.

- ¿Qué juegas en la escuela?

  Yo juego…

La l, la m y la p

A. Escucha y repite.

B. Escucha y repite.

la	le	li	lo	lu
ma	me	mi	mo	mu
pa	pe	pi	po	pu

C. Lee en voz alta.

libro

lápiz

Lisa

lunes

María

maestra

mamá

música

papá

piña

pelota

patio

D. Lee en voz alta.

1. Yo me llamo Pilar.

2. Hoy es lunes. Yo leo libros.

3. Pedro y Lola juegan en el patio de la escuela.

4. María y Mina tocan música.

E. Escucha y completa. 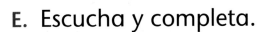 Comunicación

1. ___sa es mi amiga.

2. Mi ___má toca música.

3. Yo juego en el ___tio.

¿Qué juegan los niños en Chile?

A. Escucha y repite.

Los niños juegan fútbol.

Los niños juegan a las escondidas.

Los niños juegan al luche.

Los niños juegan damas y ajedrez.

B. Conversa con un amigo o una amiga.

- ¿Qué juegas tú?

  Yo juego...

Repasa

- los juegos

Aplica

1. ¿Qué juegas tú en la escuela?
2. ¿Dónde juegas tú?
3. ¿Qué juego te gusta más?

Yo juego en el patio.

¡A escribir!

Tema: Mi salón de clase

PLANIFICA

ESCRIBE

REVISA

PRESENTA

Comunicación

La hora

Estoy en la escuela.
¿Qué hora es?
Adiós, amigos.
Ya son las tres.

Comunicación

Son las tres.

Salón de clase

Son las tres.

▶ Ahora tú

Son las...

Vamos a la escuela

A. Escucha y repite.

ocho　　　diez　　　una　　　dos

B. Completa. Lee en voz alta.

1. Son las _____ . Los
   niños van a la escuela.

2. Es la _____ . Ellos
   estudian ciencias.

3. Son las _____ .
   Ellos estudian música.

4. Son las _____ . Ellos
   estudian matemáticas.

C. Conversa con un amigo o una amiga.

- ¿Qué hora es?

Son las...　　Es la...

Los números y la hora

A. Escucha y repite.

1	2	3	4	5	6
uno	dos	tres	cuatro	cinco	seis

7	8	9	10	11	12
siete	ocho	nueve	diez	once	doce

B. Escucha y repite.

C. Escucha y repite.

Son las siete.

Buenos días, mamá.
¿Qué hora es?

Es la una.

Buenas tardes,
papá. ¿Qué hora es?

D. Conversa con un amigo o una amiga.

Buenos días.

Buenas tardes.

¿Qué hora es?

Son las nueve.

Es la una.

Son las cuatro.

¿A dónde vas?

A. Escucha y repite.

Yo voy a la escuela
por la mañana.

Yo voy a la **biblioteca**
por la mañana.

Yo voy a la **cafetería**
por la tarde.

Yo voy al patio por
la tarde.

B. Conversa con un amigo o una amiga.

- ¿A dónde vas por la mañana?

  Yo voy...

102 Unidad 3

Repasa

- la hora
- los números del 1 al 12

Aplica

1. Saluda a tu maestro o maestra.
2. ¿Qué hora es?
3. ¿A dónde vas por la tarde?

Son las once.

Buenos días, maestro. ¿Qué hora es?

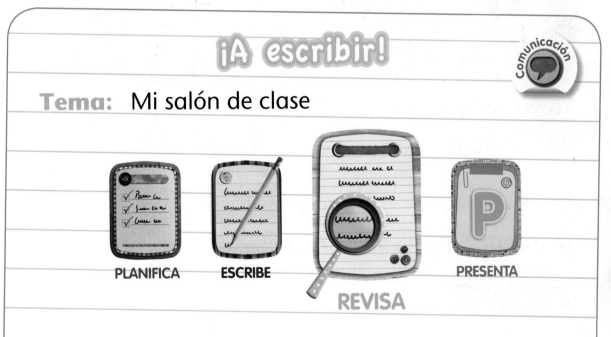

¡A escribir!

Comunicación

Tema: Mi salón de clase

PLANIFICA   ESCRIBE   REVISA   PRESENTA

Yo estudio arte.

Yo estudio música.

Salón de clase

▶ Ahora tú.

Yo estudio...

Una página web

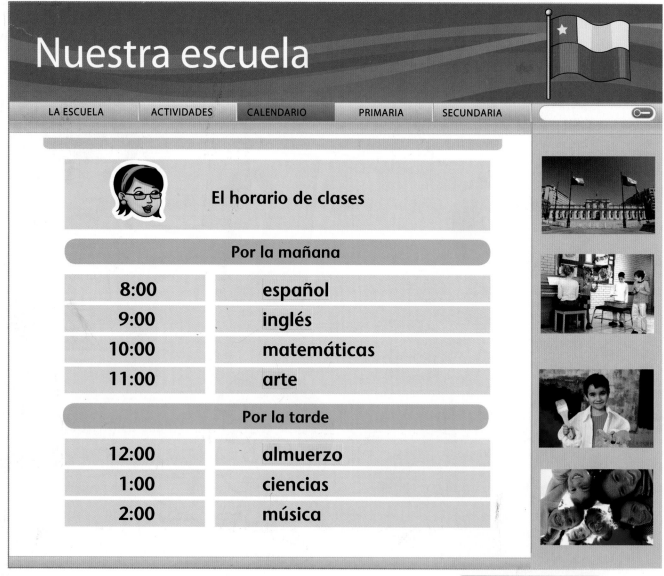

Nuestra escuela

LA ESCUELA · ACTIVIDADES · CALENDARIO · PRIMARIA · SECUNDARIA

El horario de clases

Por la mañana

8:00	español
9:00	inglés
10:00	matemáticas
11:00	arte

Por la tarde

12:00	almuerzo
1:00	ciencias
2:00	música

Yo estudio español.

Yo estudio arte.

Yo estudio inglés.

A. Escucha y repite.

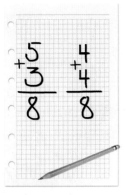  

matemáticas   ciencias   música   arte

B. Completa.

1.  A las diez los niños estudian _____.

2.  A las once los niños estudian _____.

3.  A la una los niños estudian _____.

4. 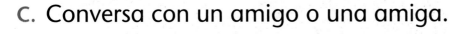 A las dos los niños estudian _____.

C. Conversa con un amigo o una amiga.

- ¿Qué estudias tú?

Yo estudio...

¿Qué tenemos?

A. Escucha y repite.

> Yo tengo un lápiz.
> Tú tienes un libro.

> Él tiene cuatro crayones.

> Ellos tienen dos tijeras.

> Nosotras tenemos cinco libros.

B. Responde.

1. ¿Qué tiene Tony?
2. ¿Qué tienen Carlos y Lisa?

C. Escoge. Lee en voz alta.

1. Yo (tengo / tienes) un lápiz.

2. Tú (tenemos / tienes) un libro.

3. Ana (tenemos / tiene) unas tijeras.

4. Los niños (tienen / tengo) cinco crayones.

D. Conversa.

Nosotros tenemos...

Mis amigos tienen...

Después de la escuela

A. Escucha y repite.

Jugar en el parque
es divertido.

Jugar en el parque
es aburrido.

Tocar la guitarra
es fácil.

Tocar la guitarra
es difícil.

B. Conversa sobre tu comunidad.

1. ¿Qué es divertido?
2. ¿Qué es aburrido?
3. ¿Qué es fácil?
4. ¿Qué es difícil?

Repasa

- la escuela y las clases
- los días de la semana
- los juegos
- la hora
- los números del 1 al 12

Aplica

1. ¿Qué día es hoy?
2. ¿Qué hora es?
3. ¿Qué clase es fácil?
4. ¿Qué juego es divertido?
5. ¿Qué estudias por la mañana?

El juego de mesa es divertido.

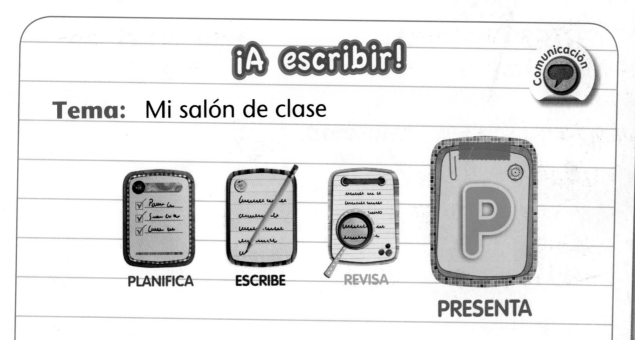

¡A escribir!

Comunicación

Tema: Mi salón de clase

PLANIFICA   ESCRIBE   REVISA

P

PRESENTA

Los animales

Casa en el campo

Mascotas
perros, gatos, loros, peces y más
PET SHOP - ACCESORIOS - PELUQUERÍA - VENTA DE MASCOTAS -

Tienda de mascotas

Voy a aprender sobre...

- las mascotas y otros animales.
- dónde viven las mascotas.
- cómo se mueven los animales.
- cómo son los animales.

Plaza

Consultorio de veterinario

Descubre
Costa Rica

Las mascotas y otros animales

Yo tengo un gato, un perro, un pez y un pájaro azul. ¿Aquí tú los ves?

Yo me llamo Daniel. Yo tengo un perro.

Yo tengo un gato.

Yo tengo un pájaro.

▶ Ahora tú.

Yo tengo...

Casa en el campo

115

Las mascotas de Daniel

A. Escucha y repite.

pájaro　　　　　pez　　　　　gato　　　　　perro

B. Une. Lee en voz alta.

1. Es un 　　　　　**a.** pez amarillo.

2. Es un 　　　　　**b.** pájaro azul.

3. Es un 　　　　　**c.** perro marrón.

4. Es un 　　　　　**d.** gato negro.

C. Conversa.

Mi mascota es un...

El color de mi mascota es...

¿Qué recuerdas?

A. ¿Sí o no?

1. El pájaro es grande.

2. El gato es pequeño.

3. El perro es pequeño.

4. El pez es grande.

B. Une. Lee en voz alta.

1. El gato es

a. azul.

2. El perro  es

b. amarillo.

3. El pájaro es

c. marrón.

4. El pez es

d. negro.

¿Cómo son las mascotas?

A. Completa las oraciones.

pequeño   grande

Yo soy más _____ que un perro.

Yo soy más _____ que un gato.

Yo soy más _____ que un pez.

Yo soy más _____ que un pájaro.

Comunicación

B. Conversa sobre una mascota.

1. ¿De qué color es la mascota?
2. ¿Es más grande o más pequeña que un pájaro?

Animales de Costa Rica

A. Escucha y repite.

El loro es verde.

La tarántula es marrón.

El mono es pequeño.

El jaguar es grande.

B. Conversa con un amigo o una amiga. Comunicación

La culebra es...

La mariposa es...

Repasa

- las mascotas y otros animales

Aplica

1. ¿Qué animal te gusta?
2. ¿De qué color es el animal?
3. ¿Es grande o pequeño?

Me gusta el perro blanco. Es pequeño.

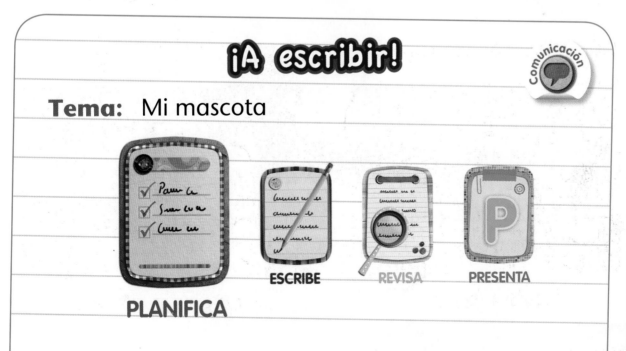

¡A escribir!

Tema: Mi mascota

Comunicación

PLANIFICA   ESCRIBE   REVISA   PRESENTA

¿Dónde viven las mascotas?

El pájaro vive
en la jaula.
El pez vive
en la pecera.

El perro vive
en su casita.
—¿Quién vive en tu casa?
—Mi gatita.

comunidades

Comunicación

El perro vive en la casita de perro.

El pájaro vive en la jaula.

El pez vive en la pecera.

▶ Ahora tú.

Mi mascota vive en...

Tienda de mascotas

123

La tienda de mascotas

A. Escucha y repite.

| jaula | casita de perro | pecera |

B. Une. Lee en voz alta.

1. El pájaro de Daniel vive en una   a. casita de perro.

2. El pez de Daniel vive en una   b. jaula.

3. El perro de Daniel vive en una   c. pecera.

C. Conversa.

- Imagina que vas a la tienda de mascotas.

1. ¿Qué mascota compras?

   Yo compro...

2. ¿Dónde vive tu mascota?

   Mi mascota vive en...

La j y la r

A. Escucha y repite.

j   r

pájaro   jirafa   conejo

toro   canguro   araña

B. Lee en voz alta.

1. Álvaro tiene un pez en una pecera.

2. Julia y yo jugamos con el conejo y el pájaro.

3. El toro es más grande que la araña.

4. La jirafa amarilla tiene un traje de baño.

C. Escucha y completa.

comunicación

1. El to____ es grande.
2. El cone____ es pequeño.

Las mascotas y sus hogares

A. Observa la tabla.

Los hogares de las mascotas

pecera	
casa	
casita de perro	
jaula	

B. Contesta.

1. ¿Cuántos peces viven en la pecera?
2. ¿Cuántos gatos viven en la casa?
3. ¿Cuántos perros viven en la casita de perro?
4. ¿Cuántos pájaros viven en la jaula?

Repasa

- las mascotas y otros animales
- dónde viven las mascotas

Aplica

1. ¿Qué mascotas te gustan?
2. ¿Dónde viven las mascotas?

Me gusta el pez azul.
El pez vive en una pecera.

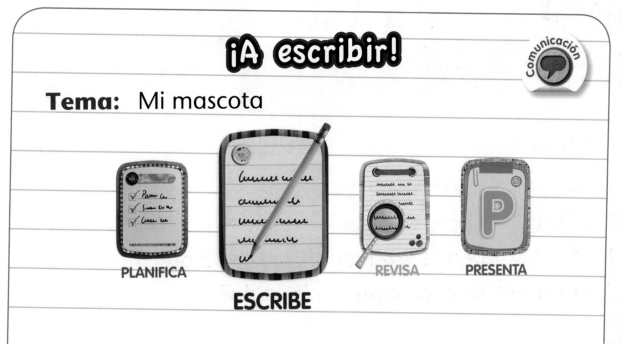

¡A escribir!

Comunicación

Tema: Mi mascota

PLANIFICA

ESCRIBE

REVISA

PRESENTA

¿Cómo se mueven los animales?

El gato camina.

El perro corre.

El perro corre.

El gato camina.

El pájaro vuela.

Ahora tú.

El perro...

El gato...

El pájaro...

El pájaro vuela.

Plaza

Los animales en el parque

El perro camina en el parque.
El gato también camina.

El gato salta.
El perro corre y juega con la pelota.
El pez nada en el agua.
El pájaro vuela por el aire.

Escucha y repite.

nada

vuela

corre

camina

salta

B. ¿Sí o no?

1. Un pez
camina.

2. Un pájaro
corre.

3. Un gato
salta.

4. Un perro
vuela.

C. Conversa.

1. ¿Cómo se mueve un perro?
2. ¿Cómo se mueve un pájaro?

Así se mueven los animales

A. Escucha y observa el dibujo.

B. Lee la tabla. Compara los animales.

	los perros	los gatos	los pájaros	los peces
caminan	✔	✔	✔	
corren	✔	✔		
saltan	✔	✔		
nadan				✔
vuelan			✔	

C. Construye oraciones. Lee en voz alta.

1.

peces
nadan
los

2.

vuelan
pájaros
los

3.

los
saltan
gatos

4.

corren
los
perros

D. Conversa con un amigo o una amiga.

1. ¿Qué animales te gustan?

2. ¿Cómo se mueven los animales?

Los animales salvajes

A. Observa los animales de Costa Rica.

B. Escucha y repite.

El jaguar corre.

La iguana y la tortuga caminan.

La rana y el mono saltan.

El loro vuela.

C. Conversa con un amigo o una amiga.

1. ¿Qué animales salvajes viven en tu comunidad?

2. ¿Cómo se mueven los animales salvajes?

Repasa

- las mascotas y otros animales

- cómo se mueven los animales

Aplica

▶ Conversa sobre un animal de Costa Rica.

1. ¿Qué animal es?
2. ¿Cómo es el animal?
3. ¿Cómo se mueve el animal?

El loro vuela. Es verde y pequeño.

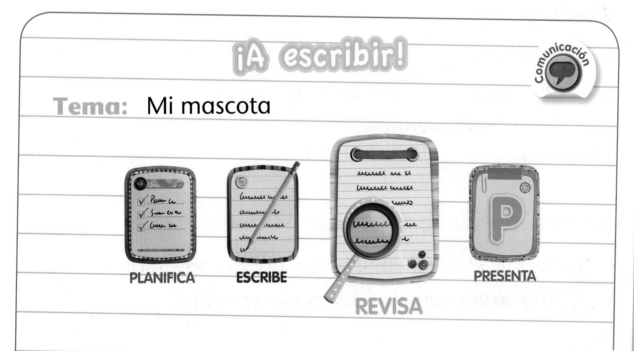

¡A escribir!

Comunicación

Tema: Mi mascota

PLANIFICA   ESCRIBE   REVISA   PRESENTA

¿Cómo son los animales?

Comunicación

Una cola y cuatro patas
tiene el gato.
Una cola y seis aletas
tiene el pez.
¿Quieres contar
otra vez?

El gato tiene cuatro patas.

El pez tiene seis aletas.

▶ Ahora tú.

El gato tiene...

El pez tiene...

Consultorio de veterinario

Un videojuego

El pez tiene una cola y seis aletas.

El pájaro tiene una cola, dos alas y dos patas.

El gato tiene una cola, dos orejas y cuatro patas.

A. Escucha y repite.

alas

aletas

orejas

cola

cola

patas

B. Completa. Lee en voz alta.

1. El gato tiene dos ⬚⬚⬚ y cuatro ⬚⬚⬚ .

2. El pájaro tiene dos ⬚⬚⬚ y dos ⬚⬚⬚ .

3. El pez tiene una ⬚⬚⬚ y seis ⬚⬚⬚ .

C. Conversa con un amigo o una amiga.

- ¿Qué tiene el perro?

   El perro tiene...

Así son los animales

A. Escucha e identifica.

1.

2.

3.

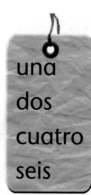

B. Conversa.

Los gatos tienen	una	alas.
Los perros tienen	dos	cola.
Los pájaros tienen	cuatro	patas.
Los peces tienen	seis	aletas.
		orejas.

C. Escucha y repite.

El tigre es rápido.

La tortuga es lenta.

D. ¿Sí o no?

1. El perro es rápido.
2. La iguana es lenta.
3. Las tortugas son rápidas.
4. Los peces son lentos.

E. Conversa con un amigo o una amiga.

1. ¿Qué animales son rápidos?
2. ¿Qué animales son lentos?

El veterinario

A. Copia y completa las tarjetas.

nombre: **Kalú**
color:
hogar: **casita de perro**
cómo se mueve:
tiene:

nombre: **Cielo**
color:
hogar:
cómo se mueve:
tiene: **dos patas**

nombre: **Coral**
color:
hogar:
cómo se mueve: **nada**
tiene:

nombre: **Félix**
color: **negro**
hogar:
cómo se mueve:
tiene:

B. Conversa.

- ¿Qué animales cuida el veterinario en tu comunidad?

Repasa

- las mascotas y otros animales
- dónde viven las mascotas
- cómo se mueven los animales
- cómo son los animales

Aplica

▶ Describe a una mascota.

1. ¿Qué animal es?
2. ¿De qué color es?
3. ¿Dónde vive?
4. ¿Cómo se mueve?
5. ¿Qué tiene?

El gato blanco tiene dos orejas, una cola y cuatro patas.

¡A escribir!

Comunicación

Tema: Mi mascota

PLANIFICA   ESCRIBE   REVISA

PRESENTA

Nos cuidamos

Taller de cerámica

Jardín botánico

Voy a aprender sobre...

- las partes del cuerpo.
- la salud.
- los ejercicios.
- los alimentos.

Parque

Restaurante

Descubre

Paraguay

Las partes del cuerpo

Mi cuerpo

Comunidades

Brazos, piernas,
manos y pies.
Todos aplaudimos
a la vez.
Cabeza, ojos,
boca y nariz.
¡Dame un abrazo
y soy feliz!

Yo me llamo Graciela.
Ésta es mi boca.

Yo me llamo Cristina.
Ésta es mi nariz.

Éstas son
mis manos.

▶ Ahora tú.

Ésta es mi...

Éstas son mis...

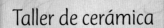

Taller de cerámica

149

La muñeca de cerámica

A. Escucha y repite.

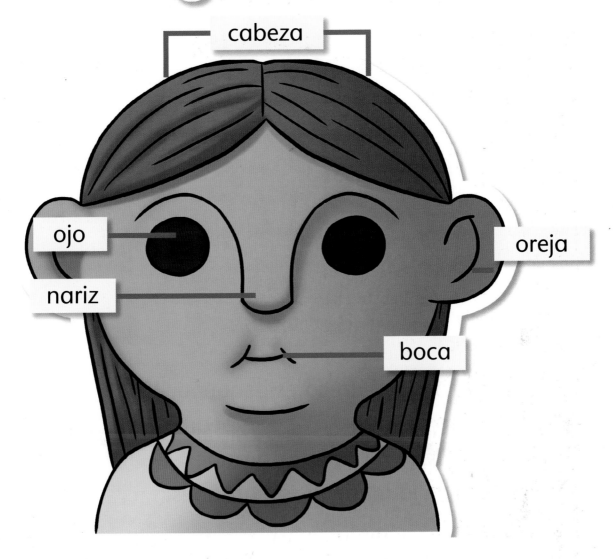

B. Completa. Lee en voz alta.

1. La _____ de la muñeca es grande.

2. Los _____ y las _____ son grandes.

3. La _____ y la _____ son pequeñas.

C. Conversa.

- Nombra las partes de tu cabeza.

¿Qué recuerdas?

A. ¿Sí o no?

1. La boca de la muñeca es pequeña.
2. Las orejas de la muñeca son pequeñas.
3. La nariz de la muñeca es grande.
4. Los ojos de la muñeca son grandes.

B. Escucha y ordena.

1. _____ 2. _____ 3. _____

El cuerpo

A. Escucha y repite.

brazo

dedo

mano

pierna

pie

Yo tengo dos brazos.

B. Lee y cuenta las partes del cuerpo.

1. El niño tiene _____ brazos.

2. El niño tiene _____ manos.

3. El niño tiene _____ piernas.

4. El niño tiene _____ pies.

5. El niño tiene _____ dedos en las manos.

C. Nombra y cuenta las partes de tu cuerpo.

Yo tengo...

Simón dice...

A. Escucha y repite.

Toca tu cabeza.

Toca tus orejas.

Toca tus pies.

Toca tu nariz.

Toca tus brazos.

Toca tus piernas.

B. Juega Simón dice con tus amigos.

Repasa

- las partes del cuerpo

Aplica

1. Nombra las partes de tu cabeza.
2. Nombra las partes de tu cuerpo.
3. ¿Son tus ojos grandes o pequeños?

Mis ojos son grandes.

¡A escribir!

Comunicación

Tema: Mi cuerpo

PLANIFICA   ESCRIBE   REVISA   PRESENTA

La salud

A mi niño, a mi niño
le duele una pierna.
La doctora le da
jarabe de cereza.

A mi niño, a mi niño
ya no le duele nada.
La doctora le da
jarabe de manzana.

Comunicación

¿Qué te duele?

Me duele la pierna.

Jardín botánico

▶ Ahora tú.

Me duele...

Tony se siente mal

A. Escucha y repite.

doctora Me duele... Me siento mal. Me siento bien.

B. Completa. Lee en voz alta.

1. Yo soy la _____ Acosta.

2. _____.

3. _____ la pierna.

4. _____.

C. Conversa con un amigo o una amiga.

- ¿Cómo te sientes?

Me siento...

La b y la d

A. Escucha y repite.

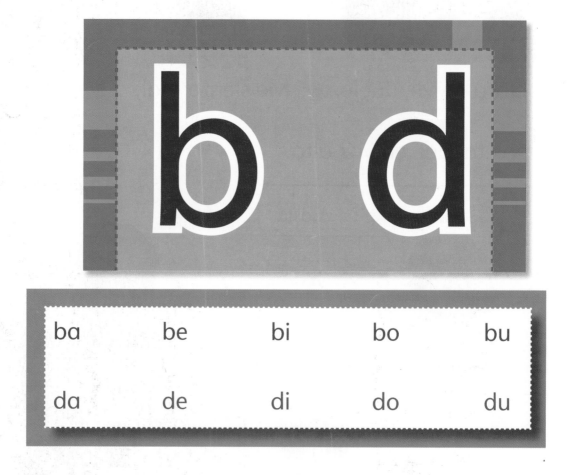

ba	be	bi	bo	bu
da	de	di	do	du

B. Lee las palabras en voz alta.

baño	dado
bebé	dedo
bigote	dinero
bote	dolor
burro	ducha

C. Lee las oraciones en voz alta.

1. El niño compra un dado y un bote con el dinero.

2. El bebé tiene dolor en su dedo.

3. El doctor tiene un bigote.

4. El burro está en la ducha.

D. Escucha y completa.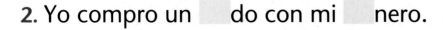

1. El ___ bé está en el ___ ño.

2. Yo compro un ___ do con mi ___ nero.

Una visita al doctor

A. Completa. Lee en voz alta.

| las piernas | los dedos | la cabeza | el ojo |

Doctor, me duele _____.

Doctora, me duele _____.

Doctora, me duelen _____.

Doctor, me duelen _____.

B. Conversa.

¿Qué te duele?

Me duele...
Me duelen...

Repasa

- las partes del cuerpo
- la salud

Aplica

▶ Imagina que visitas al doctor.

1. ¿Qué te duele?
2. ¿Cómo te sientes?

¿Cómo te sientes?

Me siento mal.

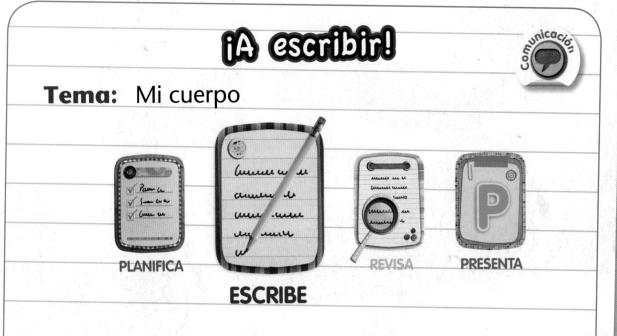

¡A escribir!

Comunicación

Tema: Mi cuerpo

PLANIFICA ESCRIBE REVISA PRESENTA

Los ejercicios

Parque

Corro, corro, corro,
corro con mis pies.
Salto, salto, salto,
salto otra vez.

Juego, juego, juego,
juego con mis pies.
Nado, nado, nado,
nado como un pez.

Yo corro.

Yo salto.

▶ Ahora tú.

Yo...

En el parque

A. Escucha y repite.

hacer ejercicios

correr

saltar

B. Completa.

1. A Graciela le gusta _____.

2. A Lisa le gusta _____.

3. A Tony le gusta _____.

C. Conversa con un amigo o una amiga.

- ¿Qué ejercicios te gusta hacer?

Me gusta…

¿Cómo haces los ejercicios?

A. Completa. Lee en voz alta.

| manos | piernas |

1. Yo salto con mis _____ .

2. Yo juego béisbol con mis _____ .

| pies | brazos |

3. Yo nado con mis _____ .

4. Yo camino con mis _____ .

B. ¿Sí o no? Comunicación

1. La niña juega fútbol con sus manos.

2. La niña juega fútbol con sus pies.

3. Los niños corren con sus piernas.

4. Los niños corren con sus brazos.

C. Conversa con un amigo o una amiga.

Yo salto con
Yo nado con
Yo camino con
Yo juego con

mis piernas.
mis manos.
mis brazos.
mis pies.

Me gusta practicar

Me gusta practicar yoga.

Me gusta practicar karate.

Me gusta practicar béisbol.

Me gusta practicar tenis.

B. Conversa con un amigo o una amiga.

- ¿Qué te gusta practicar?

Me gusta practicar...

Repasa

- las partes del cuerpo
- los ejercicios

Aplica

1. ¿Qué ejercicios te gusta hacer?
2. ¿Cuál es tu ejercicio favorito?
3. ¿Qué ejercicios haces con los brazos?
4. ¿Qué ejercicios haces con las piernas?

Yo nado con mis brazos.

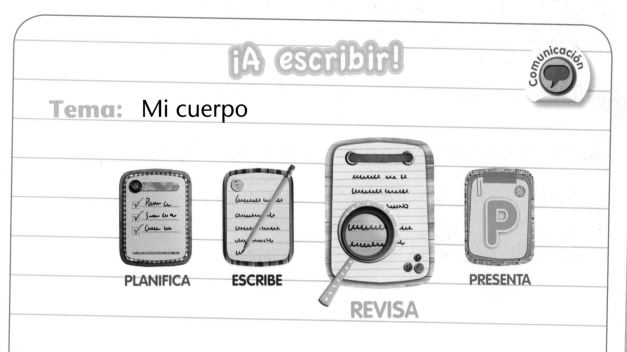

¡A escribir!

Comunicación

Tema: Mi cuerpo

PLANIFICA   ESCRIBE

REVISA

PRESENTA

Los alimentos

Yo como verduras
y como muchas frutas.
Yo como pescado.
También como helado.
¡Alupé, alupé,
sentadita me quedé!

Comunidades

¿Qué comes?

Comunicación

Yo como pescado.

Yo como helado.

Yo como verduras.

Restaurante

▶ Ahora tú.

Yo como...

173

Una tira cómica

A. Escucha y repite.

tenedor　　　　　cuchillo　　　　　cuchara

pollo　　　　　helado

B. Completa. Lee en voz alta.

1. Ellos comen arroz, ⬚⬚⬚⬚ y ⬚⬚⬚⬚ en el restaurante.

2. Ellos comen pollo con un ⬚⬚⬚⬚ y un ⬚⬚⬚⬚.

3. Los niños comen arroz con una ⬚⬚⬚⬚.

C. Conversa.

1. ¿Qué comes tú en el restaurante?

(Yo como...)

2. ¿Con qué comes tú?

(Yo como con...)

¿Qué te gusta?

A. Escucha y repite.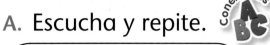

B. Escoge la oración correcta.

1. **a.** Me gusta las frutas.   **b.** Me gustan las frutas.

2. **a.** No me gusta el pescado.   **b.** No me gustan el pescado.

3. **a.** Me gusta el pollo.   **b.** Me gustan el pollo.

C. Escucha y repite.

Los **alimentos**

la pasta

la hamburguesa

los chocolates

el yogur

la sopa

las frutas

Comunicación

D. Conversa con un amigo o una amiga.

1. ¿Qué alimentos te gustan?

Me gusta...   Me gustan...

2. ¿Qué alimentos no te gustan?

No me gusta...   No me gustan...

En el restaurante

A. Escucha y repite.

La comida huele bien.

La comida **sabe** deliciosa.

La comida **se ve sabrosa**.

B. Conversa.

1. ¿Qué restaurante en tu comunidad te gusta más?
2. ¿Qué comes en el restaurante?
3. ¿Cómo sabe la comida?
4. ¿Cómo se ve la comida?
5. ¿Cómo huele la comida?

Restaurante El Paraguayo

MENU

Chipa Guazú ₡3

Empanada de Mandí ₡4

Mbejú ₡5

Repasa

- las partes del cuerpo
- la salud
- los ejercicios
- los alimentos

Aplica

1. ¿Cuáles son las partes del cuerpo?
2. ¿Qué ejercicios te gusta hacer?
3. ¿Cómo te sientes?
4. ¿Qué alimento te gusta?
5. ¿Cómo sabe la comida?

¡La comida sabe deliciosa!

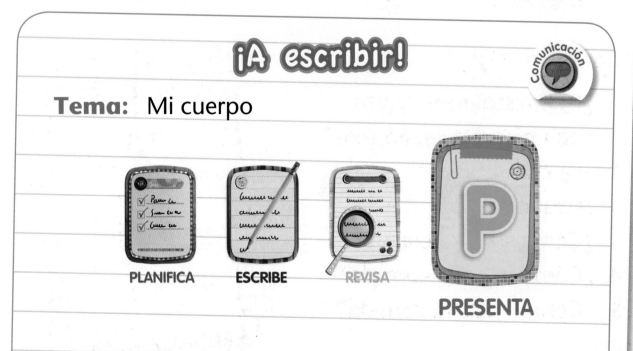

¡A escribir!

Comunicación

Tema: Mi cuerpo

PLANIFICA   ESCRIBE   REVISA

PRESENTA

Nuestro ambiente

Calle en Madrid

Festival en Pamplona

ESPAÑA

10 PTAS

CORREOS

Voy a aprender sobre...

- los viajes.
- las actividades durante el año.
- las estaciones del año.
- el tiempo.

Viñedo

Comunidad en Madrid

Descubre

Espana

Culturas

Los viajes

¿Cómo viajas?

En avión viajo
por el aire.
En carro viajo
por la ciudad.
En tren viajo
por el campo.
En bus viajo
por la comunidad.

Calle en Madrid

Yo viajo en avión.

Yo viajo en carro.

Yo viajo en tren.

▶ Ahora tú.

Yo viajo en...

Tony y Lisa viajan por España

Escucha y repite.

avión   bicicleta   carro

tren   bus

B. Completa. Lee en voz alta.

1. A Lisa le gusta viajar en _____ .
2. La familia viaja por la ciudad en _____ .
3. Los niños viajan por la ciudad en _____ .
4. Los señores viajan en _____ .
5. A Tony le gusta viajar en _____ .

C. Conversa.

- Imagina que viajas por España.

  Me gusta viajar en...

¿Qué recuerdas?

A. Une. Lee en voz alta. comunicación

1.    Es un tren.

2.    Es un carro.

3.    Es una bicicleta.

4.    Es un avión.

5.    Es un bus.

B. Cuenta cómo viajan.

1. Primero  viajan en _____ .

2. Después _____ viajan en _____ .

3. Por último _____ viajan en _____ .

¿Cómo viajan?

A. Escucha y repite.

El avión viaja
por el aire.

El barco viaja
por el agua.

El carro viaja
por la calle.

El tren viaja
por la vía.

B. Une y conversa.

El avión		el aire.
El barco		el agua.
El carro	viaja por	la calle.
El tren		la vía.

El metro de Madrid

A. Escucha y repite.

Yo viajo por Madrid en el metro. Muchas personas viajan en el metro cada día.

B. Conversa con un amigo o una amiga.

1. ¿Cómo viajan muchas personas por Madrid?

2. ¿Cómo viajan muchas personas por tu comunidad?

Repasa

- los viajes

Aplica

1. ¿Cómo viajas a la escuela?
2. ¿Cómo viajas por la calle?
3. ¿Cómo viajas por el agua?
4. ¿Cómo viajas por el aire?

Yo viajo a la escuela en bicicleta.

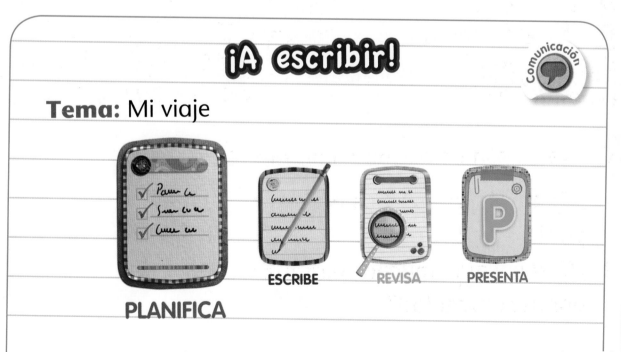

¡A escribir!

Comunicación

Tema: Mi viaje

PLANIFICA

ESCRIBE

REVISA

PRESENTA

semana 2

Las actividades durante el año

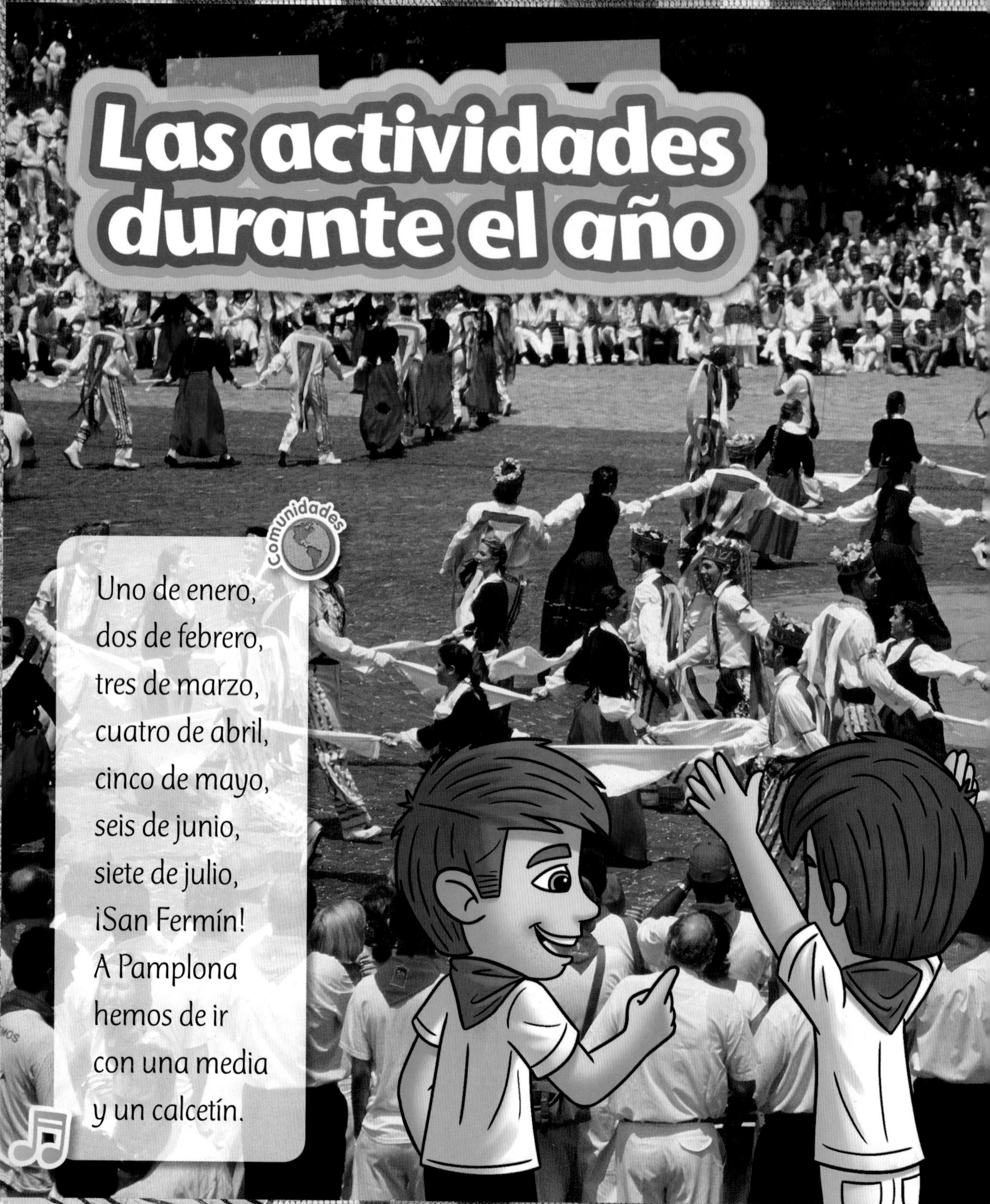

Comunidades

Uno de enero,
dos de febrero,
tres de marzo,
cuatro de abril,
cinco de mayo,
seis de junio,
siete de julio,
¡San Fermín!
A Pamplona
hemos de ir
con una media
y un calcetín.

Los meses son enero, febrero, marzo, abril...

...mayo, junio, julio, agosto...

...septiembre, octubre, noviembre y diciembre.

▶ Ahora tú.

Los meses son...

Festival en Pamplona

Un año divertido

En enero, los niños esquían en la montaña.

En abril, los niños viajan por el río en barco.

En agosto, los niños nadan en el mar.

En octubre, los niños visitan la isla.

A. Escucha y repite.

montaña

río

isla

mar

B. Completa. Lee en voz alta.

1. En enero, los niños esquían en la ⬚⬚⬚⬚ .

2. En abril, los niños viajan por el ⬚⬚⬚⬚ .

3. En agosto, los niños nadan en el ⬚⬚⬚⬚ .

4. En octubre, los niños visitan la ⬚⬚⬚⬚ .

C. Conversa.

Yo esquío en...

Yo nado en...

La n y la ñ

A. Escucha y repite.

na	ne	ni	no	nu
ña	ñe	ñi	ño	ñu

B. Lee las palabras en voz alta.

negro   montaña

niña   muñeca

noviembre   niño

nubes   piña

C. Lee las oraciones en voz alta.

1. La niña esquía en la montaña.

2. Al niño le gusta la piña.

3. El avión vuela por las nubes.

4. El niño tiene una bicicleta negra.

D. Escucha y completa.

1. El vestido de la mu____ca es ____gro.

2. Yo visito la monta____ en ____viembre.

Los meses del año

A. Escucha y completa.

| febrero | mayo | julio | noviembre |

1. En el mes de _____, yo nado en la piscina.

2. En el mes de _____, yo juego en la nieve.

3. En el mes de _____, yo salto en las hojas de colores.

4. En el mes de _____, yo juego en el parque.

B. Conversa con un amigo o una amiga.

1. ¿Cuál es tu mes favorito?
2. ¿En qué mes visitas la playa?

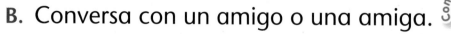

Repasa

- los meses del año
- las actividades durante el año

Aplica

1. ¿Cuáles son los meses del año?
2. ¿Qué mes es?
3. ¿En qué mes juegas en el parque?

Es el mes de julio.

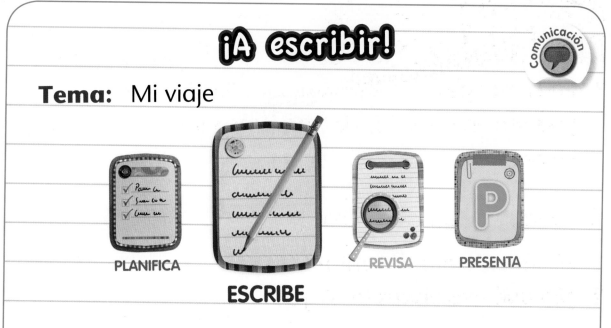

¡A escribir!

Comunicación

Tema: Mi viaje

PLANIFICA

ESCRIBE

REVISA

PRESENTA

Las estaciones del año

Cuatro estaciones
tiene el año:
otoño, invierno,
primavera y verano.

Viñedo

Es otoño.

Es invierno.

Es primavera.

Es verano.

▶ Ahora tú.

Es...

Las estaciones

A. Escucha y repite.

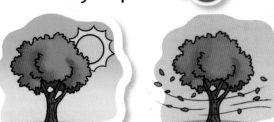

verano   otoño   invierno   primavera

B. Completa. Lee en voz alta.

1. Es _____.

2. Es _____.

3. Es _____.

4. Es _____.

C. Conversa con un amigo o una amiga.

• ¿Qué estación te gusta?

Me gusta...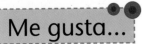

Los cambios en las estaciones

A. Escucha y repite.

B. Completa. Lee en voz alta.

| invierno | primavera | verano | otoño |

1. Las plantas tienen hojas de colores en el _____ .

2. Las plantas tienen hojas verdes en el _____ .

3. Las plantas no tienen hojas en el _____ .

4. Las plantas tienen flores en la _____ .

C. Conversa con un amigo o una amiga.

1. ¿En qué estación tienen flores las plantas?
2. ¿Con qué te gusta jugar en cada estación?

Los meses y las estaciones

A. Lee.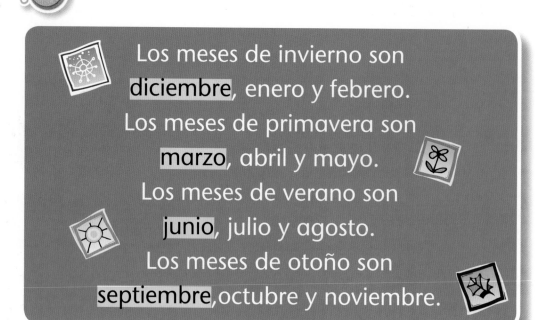

Los meses de invierno son diciembre, enero y febrero.
Los meses de primavera son marzo, abril y mayo.
Los meses de verano son junio, julio y agosto.
Los meses de otoño son septiembre, octubre y noviembre.

B. Completa.

1. Los meses de verano son ⬚unio, ⬚ulio

   y ⬚gosto.

2. Los meses de primavera son ⬚arzo, ⬚bril

   y ⬚ayo.

C. Contesta y conversa.

1. ¿Cuáles son los meses de invierno?
2. ¿Cuáles son los meses de otoño?
3. Compara los nombres de los meses en español y en inglés. ¿En qué son similares?
4. ¿En qué se diferencian?

Repasa

- las estaciones
- los meses del año

Aplica

1. ¿Cuáles son las estaciones?
2. Describe las plantas en cada estación.
3. ¿Qué te gusta hacer durante cada estación?
4. ¿Cuáles son los meses de cada estación?

Las plantas tienen hojas de colores.

Es otoño.

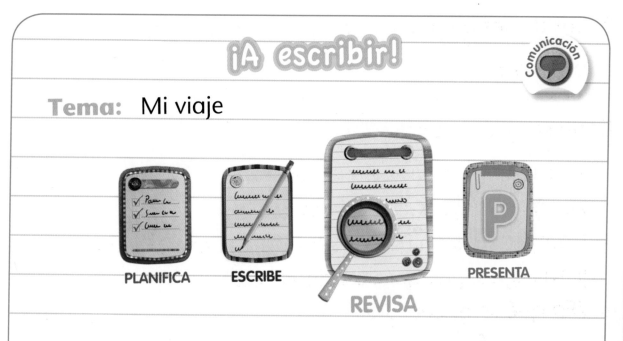

¡A escribir!

Comunicación

Tema: Mi viaje

PLANIFICA   ESCRIBE   REVISA   PRESENTA

El tiempo

Capuchín, chin, chin.
Capuchín, chin, chin.
Esta noche va a llover
antes del amanecer.

¿Cómo está el día?

El día está soleado.

El día está nublado.

El día está lluvioso.

▶ Ahora tú.

El día está...

Comunidad en Madrid

Un periódico

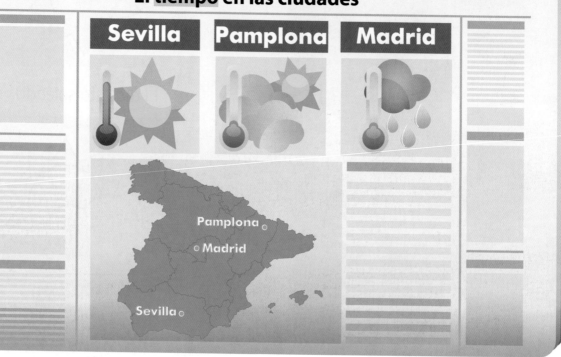

EL PERIÓDICO DE ESPAÑA

El tiempo en las ciudades

Sevilla · Pamplona · Madrid

Pamplona ○
○ Madrid
Sevilla ○

En Sevilla el día está soleado. Hace calor.

En Pamplona el día está nublado. Hace frío.

En Madrid el día está lluvioso. Hace frío.

A. Escucha y repite.

soleado

lluvioso

nublado

calor

frío

B. Completa. Lee en voz alta.

1. En Sevilla el día está _____ .

   Hace _____ .

2. En Pamplona el día está _____ .

   Hace _____ .

3. En Madrid el día está _____ .

   Hace _____ .

C. Conversa con un amigo o una amiga.

- ¿Cómo está el día hoy?

  (Hoy el día está...)

  (Hace...)

Vamos a jugar

A. Escucha y repite.

Yo voy a jugar en el parque.

Tú vas a jugar en el patio.

Ellos van a jugar en la montaña.

Ella va a jugar en la casa.

Nosotros vamos a jugar en la playa.

B. Escoge. Lee en voz alta.

1. Ella (va a / vamos a) jugar en la casa.

2. Yo (va a / voy a) jugar en el parque.

3. Tú (voy a / vas a) jugar en el patio.

4. Ellos (van a / vamos a) jugar en la montaña.

C. Conversa.

Hace calor. Nosotros vamos a jugar...

Hace frío. Ustedes van a jugar...

El tiempo en Madrid

A. Escucha y completa.

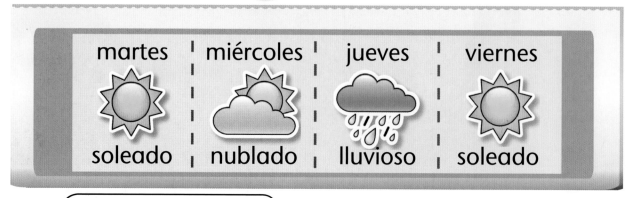

martes	miércoles	jueves	viernes
soleado	nublado	lluvioso	soleado

1. Hoy es miércoles. El día está _____.

2. Hoy es martes. El día está _____.

3. Hoy es jueves. El día está _____.

B. Conversa sobre el tiempo en tu comunidad.

1. ¿Cómo está el día?

2. ¿Hace frío o hace calor?

Repasa

- los viajes

- las actividades durante el año

- los meses del año

- las estaciones del año

- el tiempo

Aplica

1. ¿Qué estación es?
2. ¿Qué mes es?
3. ¿Cómo está el tiempo hoy?
4. ¿Dónde vas a jugar hoy?
5. ¿En qué viajas por tu comunidad?

Es verano. Hace calor.

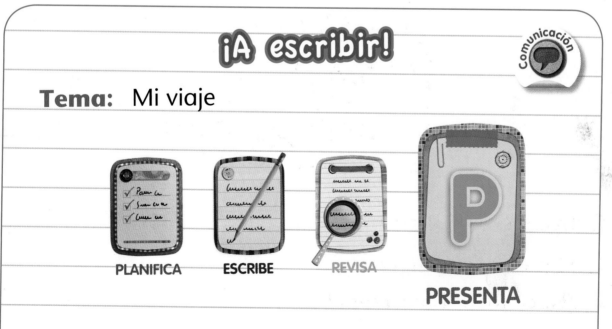

¡A escribir!

Comunicación

Tema: Mi viaje

PLANIFICA ESCRIBE REVISA

PRESENTA

Las profesiones

Calle en Caracas

Estudio de arte

Voy a aprender sobre...

- las profesiones.
- los trabajos.
- las herramientas de trabajo.
- los lugares de trabajo.

Oficina de ingenieros

Estación de policía

Descubre
Venezuela

Simón Bolívar

Los trabajos y las profesiones

En tu ciudad
trabajan todos los días
los pintores, los cocineros,
los doctores y los policías.

Comunicación

Calle en Caracas

Ella es doctora.

Él es pintor.

Ella es policía.

▶ Ahora tú.

Ella es...

Él es...

La familia de Karina

A. Escucha y repite.

pintor

cocinero

músico

policía

B. Une. Lee en voz alta.

1. El papá de Karina es   a. músico.

2. La abuela de Karina es   b. pintor.

3. El hermano de Karina es   c. cocinero.

4. El abuelo de Karina es   d. policía.

C. Conversa.

1. Presenta a la familia de Karina.

2. ¿Cuáles son sus profesiones?

¿Qué recuerdas?

A. ¿Sí o no?

1. El hermano de Karina es pintor.

2. El abuelo de Karina es músico.

3. El papá de Karina es cocinero.

4. La mamá de Karina es doctora.

B. Cuenta qué profesional es.

1. La de Karina es .

2. El de Karina es .

3. La de Karina es .

4. El de Karina es  .

Las profesiones

A. Escucha y compara.

Él es pintor.

Ella es pintora.

Él es músico.

Ella es música.

Él es policía.

Ella es policía.

B. Conversa sobre las profesiones.

Él es...   Ella es...

¿Qué vas a ser?

A. Escucha y repite.

Él es músico. Yo voy a ser música.

Ella es cocinera. Yo voy a ser cocinera.

B. Conversa sobre las profesiones.

Él es...

Ella es...

Yo voy a ser...

Repasa

- las profesiones

Aplica

▶ Conversa con tus amigos sobre las profesiones.

1. ¿Qué vas a ser tú?
2. ¿Qué va a ser tu amigo?
3. ¿Qué va a ser tu amiga?

Yo voy a ser pintor.

¡A escribir!

Comunicación

Tema: Mi profesión

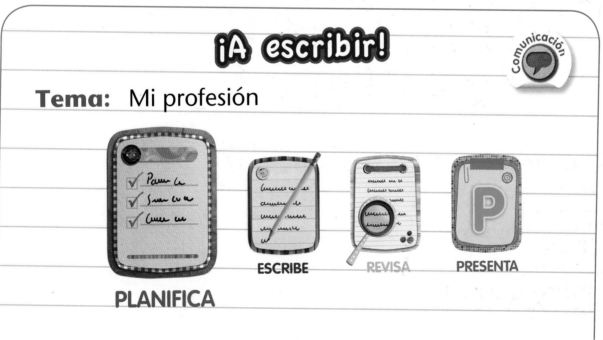

PLANIFICA   ESCRIBE   REVISA   PRESENTA

Los trabajos

Comunidades

El cocinero cocina y cocina,
el cocinero cocina allí.
El pintor pinta y pinta,
el pintor pinta allí.
La doctora nos cuida, nos cuida,
la doctora nos cuida allí.
La policía te ayuda, te ayuda,
la policía te ayuda a ti.

¿Qué haces?

Yo pinto.

Yo cocino.

Yo ayudo.

▶ Ahora tú.

Yo...

Estudio de arte

225

¿Qué hacen?

El pintor pinta un cuadro.

El cocinero cocina una sopa.

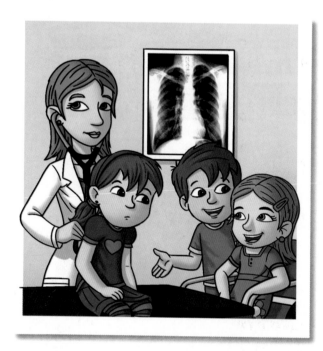

La doctora cuida a los enfermos.

La policía ayuda a los niños.

A. Escucha y repite.

pinta

cocina

cuida

ayuda

B. Une. Lee en voz alta.

1. El pintor

2. La doctora

3. El cocinero

4. La policía

a. ayuda a los niños.

b. pinta un cuadro.

c. cuida a los enfermos.

d. cocina una sopa.

C. Conversa.

1. ¿Qué hace el abuelo de Karina?
2. ¿Qué hace el papá de Karina?
3. ¿Qué hace la abuela de Karina?
4. ¿Qué hace la mamá de Karina?

La c y la q

A. Escucha y repite.

ca	co	cu

ce	ci

camisa   cuchillo   cocinera   cereal

B. Lee las oraciones en voz alta.

1. El cocinero usa un cuchillo.

2. El doctor come cereal.

C. Escucha y completa.

1. La ___ misa es roja.

2. Mi papá co ___ na la sopa.

D. Escucha y repite.

que   qui

queso

mantequilla

E. Lee las oraciones en voz alta.

1. La cocinera corta el queso.

2. La pintora come pan con mantequilla.

F. Escucha y completa.

1. Yo compro mante___lla.

2. Me gusta comer ___so.

¿En qué trabajan?

A. Escucha y completa.

música   veterinario   maestra   policía

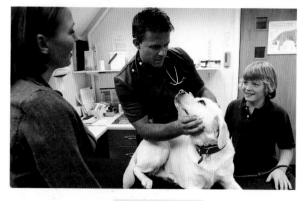

1. Yo soy _____.
Yo cuido a los animales.

2. Yo soy _____.
Yo ayudo a los niños.

3. Yo soy _____.
Yo **enseño** español.

4. Yo soy _____.
Yo **toco** instrumentos.

B. Conversa.

- Imagina que trabajas en la comunidad. ¿Qué haces?

  Yo soy...   Yo...

Repasa

- las profesiones
- los trabajos

Aplica

1. ¿Qué hace una maestra?
2. ¿Qué hace una doctora?
3. ¿Qué hace un cocinero?
4. ¿Qué hace un pintor?
5. ¿Qué hace una policía?

Una maestra enseña español.

Una policía ayuda a los niños.

¡A escribir!

Comunicación

Tema: Mi profesión

PLANIFICA

ESCRIBE

REVISA

PRESENTA

Las herramientas de trabajo

Con el cuchillo trabaja el cocinero. Con la computadora trabaja el ingeniero.

Oficina de ingenieros

Yo trabajo con el cuchillo.

Yo trabajo con la computadora.

▶ Ahora tú.

Yo trabajo con...

Las herramientas

El pintor **trabaja** con un **pincel**.

El **ingeniero** trabaja con una **computadora**.

El cocinero trabaja con un cuchillo.

La policía trabaja con un **silbato**.

A. Escucha y repite.

pincel

silbato

cuchillo

computadora

B. Une. Lee en voz alta.

1. El ingeniero trabaja con una   a. pincel.
2. El pintor trabaja con un   b. silbato.
3. La policía trabaja con un   c. cuchillo.
4. El cocinero trabaja con un   d. computadora.

C. Conversa.

1. ¿Con qué trabaja el papá de Karina?
2. ¿Con qué trabaja el abuelo de Karina?

¿Qué herramientas usan?

A. Escucha y repite.

B. Escoge. Lee en voz alta.

1. (El / La) ingeniero usa una computadora.
2. (El / La) policía usa un silbato.
3. (El / La) pintor usa un pincel.

C. Ordena las oraciones. Lee en voz alta.

1. ¿Qué | el cocinero? | usa

2. usa | un instrumento. | El músico

3. usa | ¿Quién | un silbato?

4. una computadora. | usa | La ingeniera

D. Conversa.

• ¿Qué herramientas usas en la escuela?

Yo uso...

lápiz pincel crayones computadora

libros pegamento tijeras regla

Palabras similares

A. Escucha y compara.

1.

2.

3.

4.

B. Une y conversa.

El ingeniero		una computadora.
El policía	usa	un carro.
El músico		una guitarra.
El fotógrafo		una cámara.

Repasa

- las herramientas de trabajo

Aplica

▶ Imagina que tienes una profesión.

1. ¿Cuál es tu profesión?
2. ¿Qué haces en tu profesión?
3. ¿Qué herramientas usas?

Yo soy músico. Yo uso una guitarra.

¡A escribir!

Comunicación

Tema: Mi profesión

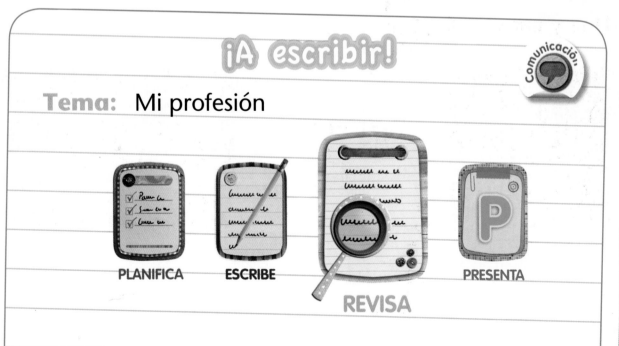

PLANIFICA   ESCRIBE   REVISA   PRESENTA

Los lugares de trabajo

ESTACIÓN DE POLICIA

En la calle y en la estación
trabajan los policías.
Ayudan a las personas
en la noche y en el día.

Ella trabaja en la estación de policía.

Él trabaja en el restaurante.

▶ Ahora tú.

Ella trabaja en...

Él trabaja en...

Estación de policía

Un videojuego

HOSPITAL

POLICIA

La doctora trabaja en un hospital.

El pintor trabaja en un estudio de arte.

El policía trabaja en una estación de policía.

El ingeniero trabaja en una oficina.

A. Escucha y repite.

estación de policía

estudio de arte

oficina

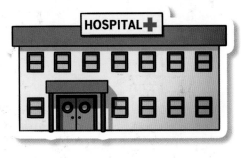

hospital

B. Completa. Lee en voz alta.

1. El ingeniero trabaja en una _____ .

2. El pintor trabaja en un _____ .

3. El policía trabaja en una _____ .

4. La doctora trabaja en un _____ .

C. Conversa con un amigo o una amiga.

1. ¿Dónde trabaja la mamá de Karina?

2. ¿Dónde trabaja el papá de Karina?

Ella trabaja en...   Él trabaja en...

¡A trabajar!

A. Escucha y repite.

Yo trabajo en un estudio de arte.

Tú trabajas en un hospital.

Él trabaja en un restaurante.

Nosotros trabajamos en una estación de policía.

Ellos trabajan en un teatro.

B. Responde.

1. ¿Dónde trabaja el cocinero?
2. ¿Dónde trabajan los músicos?

C. Escoge. Lee en voz alta.

1. Nosotros (trabajamos / trabaja) en un hospital.

2. Los pintores (trabajan / trabaja) en un estudio.

3. Yo (trabajo / trabajas) en una oficina.

4. Tú (trabajas / trabajan) en un teatro.

D. Conversa con un amigo o una amiga.

- ¿Dónde trabajan los maestros?

Ellos trabajan en...

Los profesionales

A. Completa las tarjetas.

teatro	cocinar	pincel	doctora

nombre: **Liliana Soto**
profesión:
herramienta: **rayos X**
trabajo: **cuidar a los enfermos**
lugar de trabajo: **hospital**
Idiomas: **español, inglés**

nombre: **Sebastián Soto**
profesión: **músico**
herramienta: **guitarra**
trabajo: **tocar instrumentos**
lugar de trabajo:
Idiomas: **español, inglés**

nombre: **Pablo Soto**
profesión: **pintor**
herramienta:
trabajo: **pintar cuadros**
lugar de trabajo: **estudio de arte**
Idiomas: **español, inglés**

nombre: **César Soto**
profesión: **cocinero**
herramienta: **cuchillo**
trabajo:
lugar de trabajo: **restaurante**
Idiomas: **español, inglés**

B. Conversa sobre un profesional en tu comunidad.

¿Qué hace?

¿Dónde trabaja?

Repasa

- las profesiones
- los trabajos
- las herramientas de trabajo
- los lugares de trabajo

Aplica

▶ Imagina que eres un profesional.

1. ¿Qué profesional eres tú?
2. ¿Qué herramientas usas?
3. ¿Qué haces con las herramientas?
4. ¿Dónde trabajas?

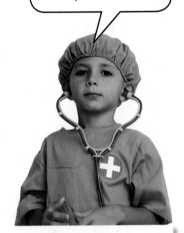

Yo soy doctor. Trabajo en un hospital.

¡A escribir!

Comunicación

Tema: Mi profesión

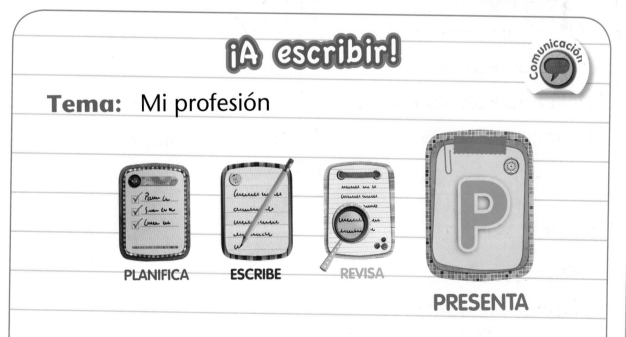

PLANIFICA ESCRIBE REVISA

PRESENTA

Nuestras celebraciones

Casa de Andrés

Entrada de la casa de Andrés

Voy a aprender sobre...

- las fiestas.
- los cumpleaños.
- las celebraciones.
- las tradiciones.

Fotos del carnaval de Santiago

Descubre
Cuba

Vamos a decorar la casa con fotos de Cuba.

Casa de Andrés

Voy a celebrar una fiesta con mis amigos.

Voy a celebrar una fiesta con mi familia.

▶ Ahora tú.

Voy a celebrar una fiesta con...

Los niños preparan una fiesta

A. Escucha y repite.

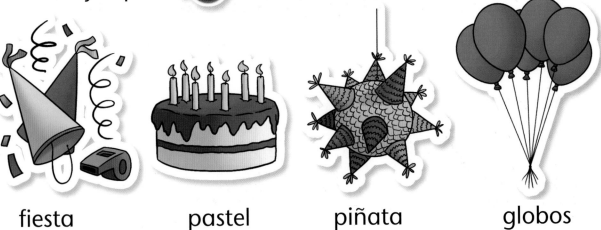

fiesta   pastel   piñata   globos

B. Completa. Lee en voz alta.

1. Ellos preparan una _____ de cumpleaños.

2. Lisa tiene _____ rojos.

3. La _____ es grande.

4. El _____ es azul y blanco. ¡Es bonito!

C. Conversa.

- Imagina que preparas tu fiesta de cumpleaños.

    1. ¿Cómo es el pastel?

       El pastel es...

    2. ¿Cómo son los globos?

       Los globos son...

¿Qué recuerdas?

A. Ordena.

¡Feliz cumpleaños!

El pastel es bonito.

¡Hoy es mi cumpleaños!

B. ¿Sí o no?

1. Hoy es el cumpleaños de Lisa.

2. El pastel es rojo.

3. Andrés va a celebrar con la familia y los amigos.

4. Los globos son amarillos.

De compras

A. Escucha y repite. Comunicación

Lista de compras

globos

velas

invitaciones

gorros

pastel

Voy a comprar unos globos para mi fiesta.

piñata

B. Conversa con un amigo o una amiga.

- Imagina que es tu cumpleaños.

    1. ¿Qué vas a comprar para tu fiesta?

        Voy a comprar...

    2. ¿Con quién vas a celebrar?

        Voy a celebrar con...

La comida para la fiesta

A. Escucha y repite.

Vamos a comer frutas.

Vamos a comer arroz con frijoles.

Vamos a comer pollo.

Vamos a beber jugo.

B. Une y conversa.

Vamos a comer

Vamos a beber

pastel.

frutas.

arroz con frijoles.

pollo.

jugo.

Repasa

- las fiestas

Aplica

▶ Imagina que vas a celebrar tu fiesta de cumpleaños.

1. ¿De qué color son los globos que vas a comprar?
2. ¿Cómo es la piñata que vas a comprar?
3. ¿Qué vas a comer?
4. ¿Con quién vas a celebrar?

Hoy es mi cumpleaños. Voy a celebrar con mi familia.

¡A escribir!

Comunicación

Tema: Mi fiesta de cumpleaños

PLANIFICA ESCRIBE REVISA PRESENTA

Los cumpleaños

Comunicación

Comunidades

¡Cumpleaños feliz
te deseamos a ti!
¡Cumpleaños, amiguito,
cumpleaños feliz!

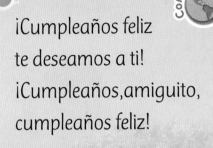

Los niños cantan.

Los niños juegan.

▶ Ahora tú.

Los niños...

Entrada de la casa de Andrés

El cumpleaños de Andrés

A. Escucha y repite.

baile

regalos

feliz

velas

B. Completa. Lee en voz alta.

1. Los _____ del cumpleaños son bonitos.

2. El pastel de Andrés tiene siete _____.

3. El _____ es muy divertido.

4. Andrés está _____.

C. Conversa con un amigo o una amiga.

1. ¿Cuántos años tienes tú?

   Yo tengo...

2. ¿Cómo estás?

   Estoy...

El sonido ch

A. Escucha y repite.

| cha | che | chi | cho | chu |

B. Lee en voz alta.

| chaqueta | leche | chico | ocho | churros |

1. Me gusta comer
   churros con chocolate.

2. El pastel tiene
   ocho velas.

C. Escucha y completa.

1. El chico bebe le ____.

2. Mi ____ queta es roja.

El sonido ll

A. Escucha y repite.

lla   lle   lli   llo   llu

B. Lee en voz alta.

amarilla   calle   gallina   gallo   lluvia

1. La gallina y el gallo tienen alas.

2. La niña juega en la lluvia.

C. Escucha y completa.

1. La piñata es amari_____.

2. Los carros están en la ca_____.

Los regalos

A. Escucha. Cuenta los regalos de la piñata. Conexiones 23

B. Completa con el número. Lee en voz alta. Comunicación

La piñata tiene...

	carros.
	crayones.
	chocolates.
	barcos.

C. Lee en voz alta.

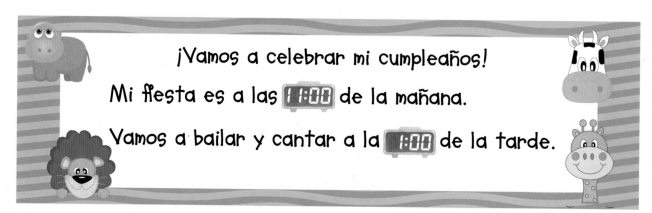

¡Vamos a celebrar mi cumpleaños!

Mi fiesta es a las **11:00** de la mañana.

Vamos a bailar y cantar a la **1:00** de la tarde.

Repasa

- los cumpleaños

Aplica

▶ Imagina que celebras tu fiesta de cumpleaños.

1. ¿Cómo es la música?
2. ¿Qué hacen los niños en la fiesta?
3. ¿Cuántas velas tiene tu pastel?
4. ¿Qué regalos tiene tu piñata?

¡La música es alegre!

Los niños bailan en la fiesta.

¡A escribir!

Comunicación

Tema: Mi fiesta de cumpleaños

PLANIFICA

ESCRIBE

REVISA

PRESENTA

Las celebraciones

¡Vamos a ver fotos del carnaval!
Es una celebración divertida.

Me gusta bailar.

Me gusta cantar.

> Ahora tú.

Me gusta...

Foto del carnaval de Santiago

El carnaval de Santiago

 En Cuba las personas celebran el carnaval de Santiago.

 Ellos viajan en tren a Santiago.

 En el desfile, los niños tienen disfraces.

Ellos bailan y tocan música.

¡Me gusta el carnaval!

A. Escucha y repite.

disfraces

desfile

carnaval

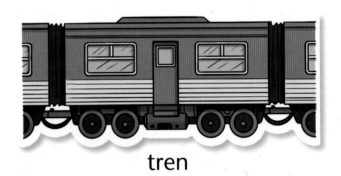

tren

B. Completa. Lee en voz alta.

1. En Cuba celebran el _____ de Santiago.

2. Las personas viajan en _____ a Santiago.

3. En el _____, los niños bailan y tocan música.

4. Los niños tienen _____.

C. Conversa.

1. ¿Qué hacen los niños en el carnaval?

   Los niños...

2. ¿Qué tienen los niños en el carnaval?

   Los niños tienen...

¡A celebrar!

A. Escucha y repite.

máscara   máscaras   cabezón   cabezones

disfraz   disfraces   instrumento   instrumentos

B. Escoge. Lee en voz alta.

1. La (máscara / máscaras) es bonita.
2. Los niños tienen (disfraz / disfraces).
3. Los músicos tocan los (instrumento / instrumentos).
4. El (cabezón / cabezones) es grande.

C. Responde.

1. ¿Cómo son los cabezones, grandes o pequeños?
2. ¿De qué colores son los instrumentos?

D. Completa. Lee en voz alta.

1. ____ Quiénes tienen máscaras ____

2. La niña baila en el carnaval ____

3. Los músicos tocan instrumentos ____

4. ____ Me gustan los cabezones ____

E. Ordena las palabras. Escribe la oración.

1.

músicos
los
instrumentos
tocan
los

2.

máscaras
bonitas
las
son

3.

niños
disfraces
los
tienen

Dos carnavales

A. Escucha y completa.

En la ciudad de Miami, en Estados Unidos, las personas celebran el Carnaval de la Calle Ocho. El carnaval tiene música, desfiles y bailes.

En la ciudad de Santiago, en Cuba, las personas celebran el Carnaval de Santiago. El carnaval tiene música, desfiles y bailes.

1. Las personas celebran el Carnaval de la Calle Ocho en la ciudad de _____.

2. Las personas en Cuba celebran el carnaval en la ciudad de _____.

3. Los dos carnavales tienen música, _____ y bailes.

B. Conversa sobre los dos carnavales.

1. ¿En qué son similares?
2. ¿En qué se diferencian?

Repasa

- las celebraciones

Aplica

▶ Imagina que vas a un carnaval.

1. ¿Cómo viajas al carnaval?
2. ¿De qué color es tu disfraz?
3. ¿Cómo son las máscaras?
4. ¿Qué tiene el carnaval?

El carnaval tiene música, desfiles y bailes.

¡A escribir!

Comunicación

Tema: Mi fiesta de cumpleaños

PLANIFICA　　ESCRIBE　　REVISA　　PRESENTA

Las tradiciones

Ellos son músicos cubanos.
Tocan instrumentos musicales.

Los instrumentos

Voy a tocar el tres.

Voy a tocar los bongós.

Voy a tocar las maracas.

▶ Ahora tú.

Voy a tocar...

Foto del carnaval de Santiago

Una carta

Hola abuelo:

¡Nosotros vamos a tocar música cubana! Yo voy a tocar el tres. Alina va a tocar las congas. Lisa va a tocar los bongós. Tony va a tocar las maracas.

Adiós,
Andrés

A. Escucha y repite.

congas

maracas

bongós

tres

B. Completa. Lee en voz alta.

1. Andrés va a tocar el _____.

2. Alina va a tocar las _____.

3. Lisa va a tocar los _____.

4. Tony va a tocar las _____.

C. Conversa con un amigo o una amiga.

1. ¿Qué instrumentos van a tocar tus amigos?

Mis amigos van a tocar…

2. ¿Qué instrumento vas a tocar tú?

Yo voy a tocar…

En un carnaval

A. Escoge. Lee en voz alta.

1. Tocar los bongós es (fácil / difícil).

2. El carnaval es (divertido / aburrido).

3. El cabezón es (grande / pequeño).

4. La máscara es (roja / verde).

B. Escoge. Lee en voz alta.

1. Estoy (triste / feliz).

2. Estoy (triste / feliz).

C. Completa. Lee en voz alta.

> beber   comer   tocar

1. Tony va a _____ arroz.

2. Ellos van a _____ jugo.

3. Andrés va a _____ el tres.

D. Completa. ¿Cómo está el día del carnaval?

> lluvioso   soleado

El día está _____.

El día está _____.

Una celebración divertida

A. Completa. Lee en voz alta.

bongós	música	maracas	celebración

Yo toco las _____.

¡Me gusta tocar los _____!

Cantamos y bailamos _____ cubana.

¡La _____ es divertida!

B. Conversa sobre una celebración en tu comunidad. comunicación

1. ¿Qué instrumentos tocan las personas?
2. ¿Qué hacen los niños?
3. ¿Cómo es la celebración?

Repasa

- las fiestas
- los cumpleaños
- las celebraciones
- las tradiciones

Aplica

▶ Imagina que estás en un carnaval.

1. ¿Cómo es el carnaval?
2. ¿Qué instrumento tocas?
3. ¿Qué comes?
4. ¿Qué haces en el carnaval?

¡El carnaval es divertido! Yo toco las maracas.

¡A escribir!

Comunicación

Tema: Mi fiesta de cumpleaños

PLANIFICA   ESCRIBE   REVISA

PRESENTA

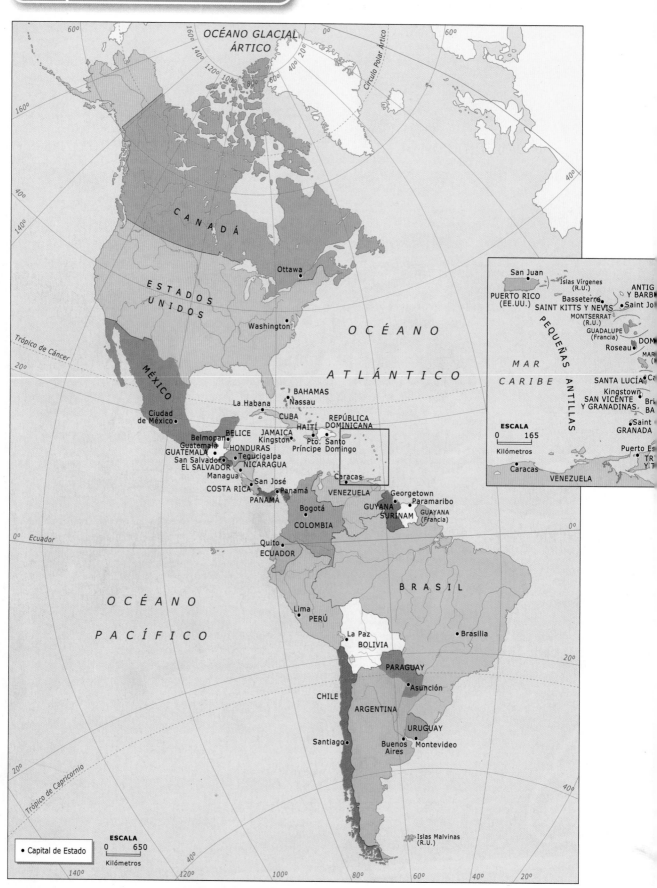

Mapa de las Américas

OCÉANO GLACIAL
ÁRTICO

Círculo Polar Ártico

CANADÁ

Ottawa

ESTADOS
UNIDOS

Washington

Trópico de Cáncer

MÉXICO

Ciudad
de México

OCÉANO

ATLÁNTICO

BAHAMAS

La Habana   Nassau

CUBA   REPÚBLICA
HAITÍ   DOMINICANA

BELICE   JAMAICA
Belmopan Kingston   Pto.   Santo
Guatemala HONDURAS Príncipe Domingo
GUATEMALA
San Salvador Tegucigalpa
EL SALVADOR   NICARAGUA
Managua

Caracas

San José
COSTA RICA Panamá
PANAMÁ

VENEZUELA

Bogotá

COLOMBIA

Georgetown
GUYANA   Paramaribo
SURINAM
GUAYANA
(Francia)

Quito
ECUADOR

Ecuador

BRASIL

OCÉANO

PACÍFICO

Lima
PERÚ

La Paz   Brasilia
BOLIVIA

PARAGUAY

Asunción

CHILE

ARGENTINA

URUGUAY

Santiago   Buenos   Montevideo
Aires

Trópico de Capricornio

Islas Malvinas
(R.U.)

Recuadro: Pequeñas Antillas

San Juan
PUERTO RICO   Islas Vírgenes   ANTIG
(EE.UU.)   (R.U.)   Y BARB
              Basseterre
              SAINT KITTS Y NEVIS   Saint Jo
              MONTSERRAT
              (R.U.)
              GUADALUPE
              (Francia)
              Roseau   DOM

MAR
CARIBE

PEQUEÑAS ANTILLAS

SANTA LUCÍA
Kingstown
SAN VICENTE
Y GRANADINAS
GRANADA

Bri
BA

Saint
Puerto Es
TR
Y T

ESCALA
0   165
Kilómetros

Caracas

VENEZUELA

ESCALA
0   650
Kilómetros

● Capital de Estado

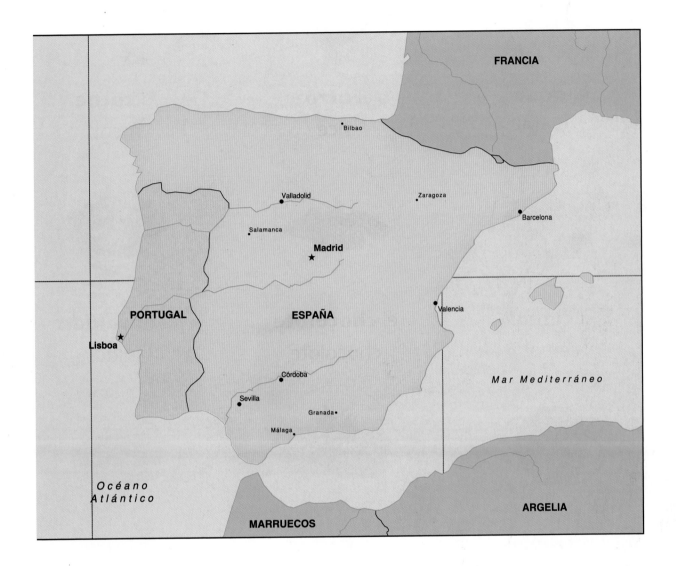

FRANCIA

Bilbao

Valladolid

Zaragoza

Barcelona

Salamanca

Madrid

PORTUGAL

ESPAÑA

Valencia

Lisboa

Mar Mediterráneo

Córdoba

Sevilla

Granada

Málaga

Océano
Atlántico

ARGELIA

MARRUECOS

el **agua**
f. water

el **arroz**
rice

la **carne**
meat

el **cereal**
cereal

el **chocolate**
chocolate

la **ensalada**
salad

los **frijoles**
beans

las **frutas**
fruit

la **hamburguesa**
hamburger

el **helado**
ice cream

el **huevo**
egg

el **jugo**
juice

la **leche**

milk

el **pan**

bread

la **papa**

potato

el **pastel**

cake

el **pescado**

fish

el **pollo**

chicken

el **queso**

cheese

el **refresco**

soft drink

el **sándwich**

sandwich

la **sopa**

soup

las **verduras**

vegetables

el **yogur**

yogurt

la **cabeza** (head)

el **pelo** (hair)

la **oreja** (ear)

el **ojo** (eye)

la **nariz** (nose)

la **cara** (face)

la **boca** (mouth)

los **dientes** (teeth)

el **hombro** (shoulder)

el **cuello** (neck)

el **brazo** (arm)

el **dedo** (finger)

la **mano** (hand)

la **rodilla** (knee)

la **pierna** (leg)

el **pie** (foot)

la **blusa**

blouse

los **calcetines**

socks

la **camisa**

shirt

la **camiseta**

T-Shirt

la **chaqueta**

jacket

la **falda**

skirt

los **jeans**

jeans

el **pantalón**

pants

el **traje de baño**

swimsuit

el **vestido**

dress

los **zapatos**

shoes

0

cero

1

uno

2

dos

3

tres

4

cuatro

5

cinco

6

seis

7

siete

8

ocho

9

nueve

10 **diez**

11 **once**

12 **doce**

13 **trece**

14 **catorce**

15 **quince**

16 **dieciséis**

17 **diecisiete**

18 **dieciocho**

19 **diecinueve**

20 **veinte**

21 **veintiuno**

22 **veintidós**

23 **veintitrés**

24 **veinticuatro**

25 **veinticinco**

26 **veintiséis**

27 **veintisiete**

28 **veintiocho**

29 **veintinueve**

30 **treinta**

31 **treinta y uno**

40 **cuarenta**

50 **cincuenta**

60 **sesenta**

70 **setenta**

80 **ochenta**

90 **noventa**

100 **cien**

amarillo

yellow

anaranjado

orange

azul

blue

blanco

white

gris

gray

marrón

brown

morado

purple

negro

black

rojo

red

rosado

pink

verde

green

la **araña**

spider

la **culebra**

snake

el **gato**

cat

el **loro**

parrot

la **mariposa**

butterfly

el **mono**

monkey

el **pájaro**

bird

el **perro**

dog

el **pez**

fish

la **rana**

frog

el **tigre**

tiger

la **tortuga**

turtle

el **aire** air

el **apartamento** apartment

el **arte** art

el **béisbol** baseball

la **bicicleta** bicycle

el **bus** bus

la **cafetería** cafeteria

la **cámara** camera

el **carnaval** carnival

el **carro** car

la **celebración** (*pl.* las **celebraciones**) celebration

celebrar to celebrate

la **cerámica** ceramic

las **ciencias** science

la **computadora** computer

la **comunidad** community

el **crayón** (*pl.* los **crayones**) crayon

decorar to decorate

delicioso(a) delicious

difícil difficult

el(la) **doctor(a)** doctor

esquiar to ski

la **estación** (*pl.* las **estaciones**) **de policía** police station

estudiar to study

el **estudio de arte** art studio

la **familia** family

favorito(a) favorite

el(la) **fotógrafo(a)** photographer

el **hospital** hospital

el(la) **ingeniero(a)** engineer

el **inglés** English

el **instrumento** instrument (musical)

la **invitación** (**pl.** las **invitaciones**) invitation

la **iguana** iguana

la **isla** island

el **jaguar** jaguar

el **karate** karate

la **máscara** mask

las **matemáticas** math

la **montaña** mountain

la **música** music

la **oficina** office

el **parque** park

la **piñata** piñata

el(la) **policía** police officer

la **planta** plant

practicar to practice

preparar to prepare

rápido(a) fast, quick, rapid

el **restaurante** restaurant

el **supermercado** supermarket

la **tarántula** tarantula

el **teatro** theater

el **tenis** tennis

el **tigre** tiger

el **tren** train

usar to use

el(la) **veterinario(a)** veterinarian

visitar to visit

el **yoga** yoga

El calendario

Los días de la semana

el **domingo** Sunday

el **lunes** Monday

el **martes** Tuesday

el **miércoles** Wednesday

el **jueves** Thursday

el **viernes** Friday

el **sábado** Saturday

Los meses

enero January

febrero February

marzo March

abril April

mayo May

junio June

julio July

agosto August

septiembre September

octubre October

noviembre November

diciembre December

Las estaciones

la **primavera** spring

el **verano** summer

el **otoño** fall

el **invierno** winter

Vocabulario español-inglés

The following abbreviations are used: *adj.* adjective, *f.* feminine, *m.* masculine, *pl.* plural

la **abuela** grandmother

el **abuelo** grandfather

aburrido(a) boring

el **agua** *f.* water (ocean)

el **ajedrez** chess

el **ala** *f.* wing

alegre happy

la **aleta** fin

el **almuerzo** lunch

el(la) **amigo(a)** friend

el **año** year

aprender to learn

el **avión** (*pl.* los **aviones**) airplane

ayudar to help

bailar to dance

el **baile** dance

el **baño** bathroom

el **barco** ship

beber to drink

la **biblioteca** library

bien fine, good

los **bongós** bongo drums

bonito(a) pretty

bueno(a) good

el **cabezón**
(*pl.* los **cabezones**)
(element in Cuban
carnival)

la **calle** street

caminar to walk

cantar to sing

la **casa** house

la **casita** de perro
doghouse

la **ciudad** city

la **cocina** kitchen

cocinar to cook

el(la) **cocinero(a)** cook

la **cola** tail

el **comedor** dining room

comer to eat

comprar to buy

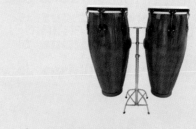

la **conga** conga drum

correr to run

corto(a) short

cubana *f.* Cuban

la **cuchara** spoon

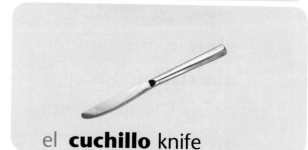

el **cuchillo** knife

la **cuerda** jump rope

cuidar to take care of

el **cumpleaños** birthday

las **damas** checkers

el **desfile** parade

la **despedida** goodbye,
farewell

después then

el **disfraz**
(*pl.* los **disfraces**)
costume

divertido(a) fun,
amusing

el **dormitorio** bedroom

él he

ella she

ellas *f.* they

ellos *m., m. & f.* they

enseñar to teach

las **escondidas**
hide-and-seek

la **escuela** school

el **español** Spanish

estar to be

fácil easy

feliz (*pl.* **felices**) happy

la **fiesta** party

el **fin de semana**
weekend

la **flor** flower

el **fútbol** soccer

el **globo** balloon

el **gorro** hat

grande big, large

gustar to like

hacer to do, make

la **hermana** sister

el **hermano** brother

la **herramienta** tool

la **hoja** leaf

el **hogar** home

hoy today

el **idioma** language

ir to go

la **isla** island

la **jaula** cage

el **juego** game

el **juego de mesa**
board game

jugar to play

el **juguete** toy

la **juguetería** toy store

el **lápiz** (*pl.* los **lápices**)
pencil

largo(a) long

lento(a) slow

el **libro** book

lluvioso rainy

el **luche** hopscotch (Chile)

el(la) **maestro(a)** teacher

mal bad

la **mamá** mom, mother

el **mar** sea

las **maracas** maracas

más more

la **mascota** pet

el **mercado** market

el **metro** subway

moverse to move

la **muñeca** doll

el(la) **músico(a)** musician

nadar to swim

la **nieve** snow

la **niña** girl

el **niño** boy

nosotros(as) we

la **nube** cloud

nublado cloudy

nueva new

los **padres** parents

la **panadería** bakery

el **papá** dad, father

la **pata** leg (of an animal or object)

el **patio** (de recreo) playground

la **pecera** fishbowl

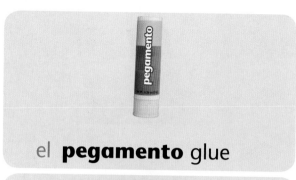

el **pegamento** glue

la **pelota** ball

pequeño(a) small

el **pincel** paintbrush
(artist's)

pintar to paint

la **piña** pineapple

el(la) **pintor(a)** painter

la **piscina** swimming pool

la **playa** beach

la **plaza** public square

primero first

R

el **regalo** gift, present

la **regla** ruler
(for measuring)

el **río** river

S

sabroso(a)
tasty, delicious

la **sala** living room

el **salón de clase**
classroom

saltar to jump

la **salud** health

el **saludo** greeting

el **señor** Mr.

la **señora** Mrs.

sentirse to feel

ser to be

sí yes

el **silbato** whistle

el **sol** sun

soleado sunny

también also

el **tenedor** fork

tener to have

el **tiempo** weather

la **tienda** store

las **tijeras** scissors

tocar to play (musical instrument), to touch

trabajar to work

el **trabajo** job, work

el **tres** tres (small Cuban guitar)

triste sad

un / una a, an

usted(es) you (formal)

los **útiles** supplies (for school)

la **vela** candle

la **vía** rail

viajar to travel

el **viaje** trip

vivir to live

volar to fly

yo I

hacer ejercicios to work out, exercise

ir a to be going to (do something)

más grande / pequeño que... bigger / smaller than...

por la mañana / tarde in the morning / afternoon

por último last, finally

Adiós. Goodbye.

Buenos días. Good morning.

Buenas tardes. Good afternoon.

Buenas noches. Good night.

¿Cómo te llamas tú? What's your name?

   Yo me llamo (Bill / Cindy). My name is (Bill / Cindy).

¿Cómo te sientes? How do you feel?

   Me siento (bien / mal). I feel (fine / bad).

¿Cuántos años tienes tú? How old are you?

   Yo tengo (siete) años. I'm (seven) years old.

¿De qué color es? What color is it?

¡Feliz cumpleaños! Happy birthday!

Gracias. Thank you.

   De nada. You're welcome.

Hace calor / frío. It's hot / cold. (weather)

Hola. Hello. Hi.

Huele bien. It smells good.

¿Qué hora es? What time is it?

   Es la una. / Son las (dos). It's one. / It's (two) o'clock.

¿Qué te duele? What hurts you?

    Me duele (la mano). My (hand) hurts.

    Me duelen (las manos). My (hands) hurt.

Mucho gusto. Pleased (nice) to meet you.

Sabe delicioso(a). It tastes delicious.

Se ve sabroso(a). It looks tasty / delicious.

¿Te gusta (el helado / jugar tenis)?

Do you like (ice cream / to play tennis)?

    Me gusta (el helado / jugar tenis).

    I like (ice cream / to play tennis).

¿Te gustan (los zapatos)? Do you like (the shoes)?

    Me gustan (los zapatos). I like (the shoes).

Yo voy a ser (doctor). I'm going to be a (doctor).